Chichopotam
Wyszedł z błota hipopotam:
- Chi-chi-cho-tam! -
zachichotał...
TRUTUTUTU!!!
Mój sąsiedzie

Agnieszka Frączek

Chichopotam

Agnieszka Frączek

Chichopotam

ilustracje Iwona Cała

bis

Warszawa 2010

Projekt okładki i ilustracje: Iwona Cała

ISBN 978-83-7551-162-8

Wydawnictwo BIS
ul. Lędzka 44a
Warszawa 01-446

tel. (22) 877-27-05, 877-40-33, fax (22) 837-10-84
e-mail: bisbis@wydawnictwobis.com.pl

www.wydawnictwobis.com.pl

Druk i oprawa: ARSPOL

Chichopotam

Wyszedł z błota hipopotam:
– Cha-chi-cho-cha! – zachichotał.

Słoń, zbudzony owym dźwiękiem,
zakołysał trąbą z wdziękiem:

– Tru-tu-tu-tu! Mój sąsiedzie!
Co cię śmieszy, można wiedzieć?

Hipopotam rzec coś chciał,
lecz nie zdołał, bo się śmiał.

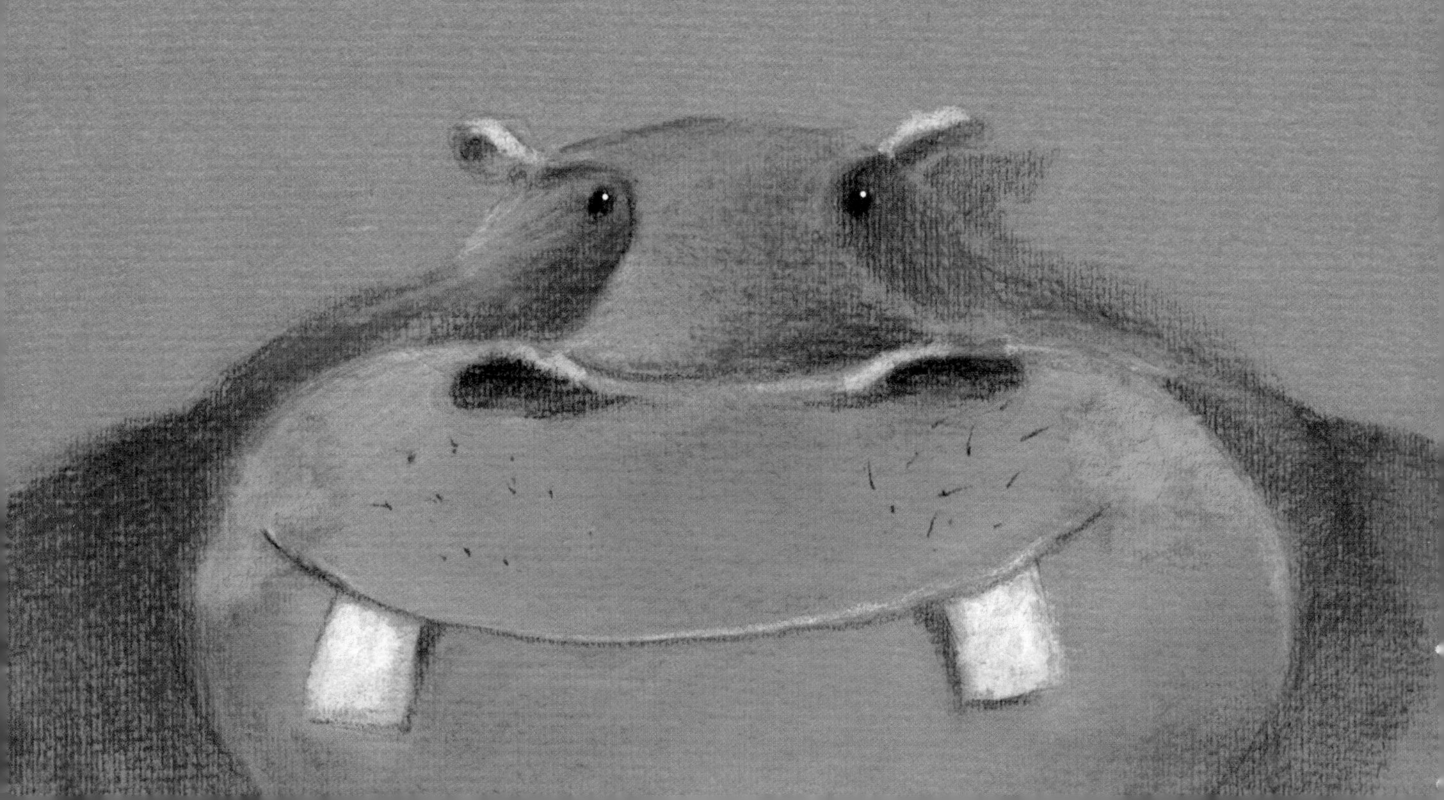

Żółw guzdrała, wietrząc psotę,
zaraz przygnał tu galopem,
stado strusi zbaraniało,
a lew ryknął: – Co się stało?!

Hipcio zerknął na nich i...
znów się chichrał: – Chi, chi, chi...

– Czy pan ze mnie się naśmiewa? –
spytał pawian, schodząc z drzewa.
Chciał na śmieszka się obrazić,
lecz... chichotem się zaraził.

Wnet się śmiała cała plaża –
wąż aż skręcał się i tarzał,
żółw rechotał, zebry rżały,
śmiechem parskał lew wspaniały.

Calusieńki świat chichotał!

Kto to sprawił? CHICHOPOTAM!
Ten wesołek rodem z błota.

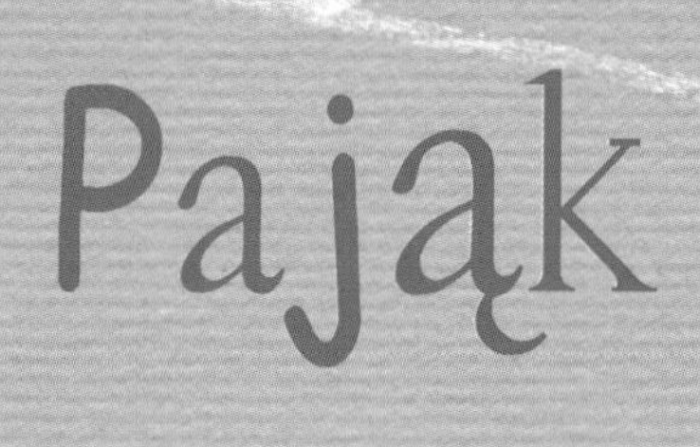

Pająk

Na ulicy zamieszanie:
– Pająk kupił tu mieszkanie!
– To doprawdy nie wypada
mieć pająka za sąsiada! –
oburzyły się perliczki.
– Niechże zmyka z tej uliczki!

Nie do wiary! Co za zwierzę!
Myje okna na parterze,
potem wiesza w nich firanki,
które tkał przez cztery ranki,
czyści taras i balkony,
wreszcie wdziewa pantalony,
zgrabnie wsiada na rowerek
i rowerkiem gna na skwerek.

A na skwerku u grawera
pająk sięga do portfela...
Patrzcie! Kupił za gotówkę
elegancką wizytówkę!
Na niej adres i nazwisko...
To dopiero widowisko!
Pająk wiesza tuż nad drzwiami
wizytówkę z literami:

Imć Pajączek Pajęczasty
(numer domu: sto trzynasty)
tkacz i plotkarz niezrównany
kolorowe tka dywany
oraz plecie bzdurki w cętki

Zaraz zbiegły się klientki!

Gąski w podróży

Cztery gąski wdziały kaski
i na wrotkach mkną przez piaski.
– Gę-gę, gę-gę! – słychać wkoło,
gąskom bardzo jest wesoło.

Tutaj górka, a tam dołek,
zakręt, uskok... O! Fikołek!
Nie przejmują się tym wcale,
tylko pędzą, pędzą dalej!

A dokoła stoją gapie:
krecik się po głowie drapie,

jeż oniemiał, igły jeży,
ślimak patrzy i nie wierzy,

wróbel zaś wytrzeszcza oczy –
wszystkich widok ten zaskoczył!

Nawet wielki struś, mądrala,
kiedy gąski dostrzegł z dala,
to im wybiegł na spotkanie:

– Witam, witam drogie panie!

Więc zahamowały z piskiem,
a struś dygnął, kiwnął łbiskiem,
każdej gąsce skrzydło podał
i zapytał: – Czy to moda,
czy tradycja jakaś nowa
każe kaski mieć na głowach?
Bez nich łatwiej będzie wam,
wierzcie, ja się na tym znam!

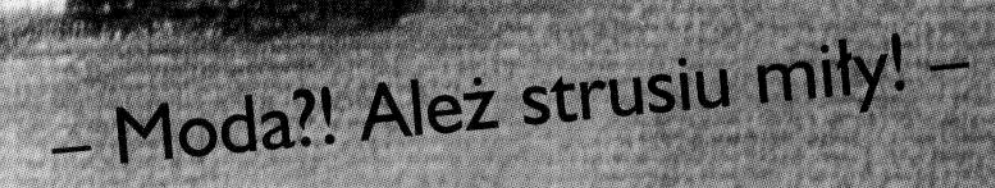

– Moda?! Ależ strusiu miły! –

gąski wręcz się oburzyły,
jednak odgęgały grzecznie:

– W kasku przecież jest bezpieczniej!

– To dopiero! Cud prawdziwy!
Zwykłe gęsi – struś się zdziwił –
a gęgają tak roztropnie...
Niech to – mruknął – kaczka kopnie!

Urodziny

Dziś mój pies ma urodziny!
Tort z kotleta mu zrobimy,
będą świeczki (w kształcie kości),
zaprosimy mnóstwo gości!
Kot przyniesie miskę mleka,
sąsiad „Sto lat!” psu odszczeka.

I niech cały świat się dowie:
Pies, choć pies, to także człowiek!

Schody

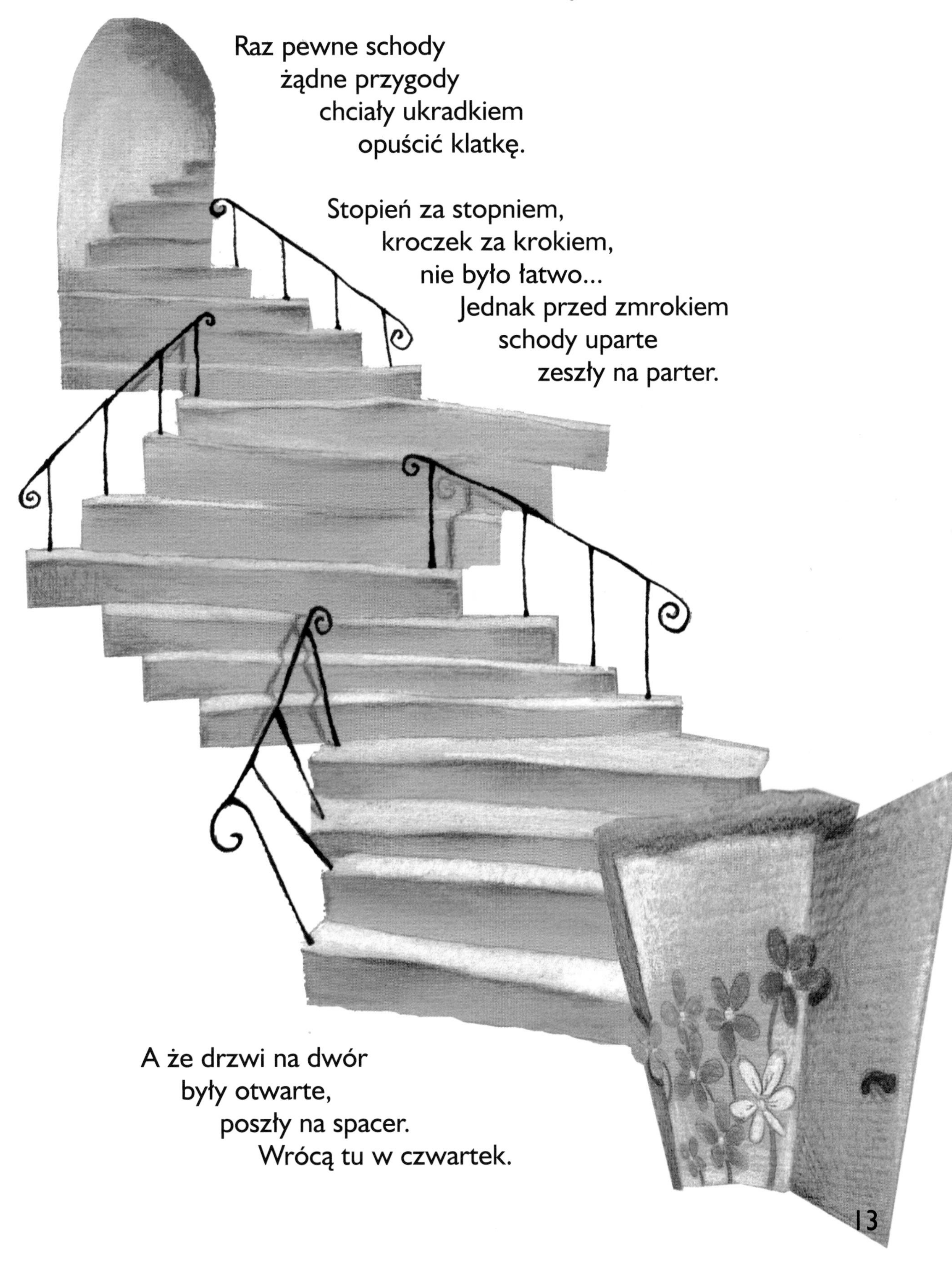

Raz pewne schody
żądne przygody
chciały ukradkiem
opuścić klatkę.

Stopień za stopniem,
kroczek za krokiem,
nie było łatwo...
Jednak przed zmrokiem
schody uparte
zeszły na parter.

A że drzwi na dwór
były otwarte,
poszły na spacer.
Wrócą tu w czwartek.

MuchOmor

Rzekł muchomor do kolegi:
– Chciałbyś kupić moje piegi?
Sprzedam tanio – za dwa złote.
Możesz mi zapłacić potem
lub... niech stracę... nie płać wcale!
Jestem szczodry niebywale.

Lecz kolega nie chciał kropek:
– Gdyby chociaż były złote...
Ale białe? Nie, dziękuję.
Białych już nie potrzebuję.

Zmartwił się muchomor srodze
i na jednej pognał nodze
do biedronki siedmiokropki.
– Oddam pani moje kropki!

Słowo daję: są wygodne,
w dobrym guście, strojne, modne...
I jak łatwo się je pierze!...
Niechże pani wszystkie bierze!

Więc biedronka kropki mierzy...
– Hm... – powiada – ta źle leży,
w tamtej jest mi nie do twarzy,
ta ośmieszy mnie na plaży...
Przykro mi, nie wezmę kropek.
Gdyby chociaż były złote...
Ale białe? Nie, dziękuję.
W bieli jednak źle się czuję.
Stonkom sprzedać je pan może,
drogi panie muchomorze...

Ale jego już nie było!
Chociaż siedział tu przed chwilą,
teraz zniknął! Co się stało?
Czyżby UFO go porwało!?

Nie!
Muchomorek, już bez kropek,
do wsi puścił się galopem –
bowiem po to tak się trudził,
by sympatię zyskać ludzi:

– Zaskoczeni tą odmianą,
wreszcie bać się mnie przestaną!

Olaboga! Hulajnoga!

Gwałtu! Rety! Olaboga!
Drogą pędzi hulajnoga!

Przewróciła znak drogowy,
nastraszyła mleczne krowy,
wywaliła kosz na śmieci,
ale co tam!? Dalej leci!

Gwałtu! Rety! Olaboga!
Drogą leci hulajnoga!

Traktor przed nią umknął w dal,
pies ze strachu szczeknął: – Miau!
Ślimak nogi wziął za pas
i przed siebie gna raz-raz.

Gwałtu! Rety! Olaboga!
Drogą śmiga hulajnoga!

A tuż za nią mkną wytrwale
cztery auta na sygnale.
– I-jaa, i-jaa! – słychać wszędzie. –
Niechże pani tak nie pędzi!

– Co? Ja pędzę?! Ależ skąd! –
rzekła, wiejąc im pod prąd.

– Stać! Tam przejście jest dla pieszych!
Jej się jednak bardzo spieszy:
zebrę ominęła łukiem
i... w pokrzywy wpadła z hukiem.

Z gąszczu zaraz wyszedł jeleń
z transparentem: „Szanuj zieleń!".
Za nim nadbiegł pan policjant:
– Stać! – zawołał. – Stać! Policja!

Żeby zmusić ją do skruchy,
wyjął lizak zza pazuchy
i oznajmił: – Mam cię! Wreszcie!
Zaraz zamknę cię w areszcie!

A co na to hulajnoga?
– Rety! – rzekła. – Olaboga...

Dziadek Marek

Ma wesołą siwą bródkę
i niesfornych wnuków trzódkę –
dla nich w maga się przemienia
i w mig spełnia ich marzenia.

Raz wziął mąki odrobinę,
klosz i zardzewiały młynek,
dodał śrubek całe mrowie
i zamienił to w śmigłowiec.

Wnet zafurkotały śmigła,
dzieci siadły więc na skrzydłach
i po chwili razem z dziadkiem
pofrunęły na Kamczatkę.

Tam zaś rozbrykane brzdące
miały przygód trzy tysiące –
z białym misiem grały w berka
i szalały na rowerkach.

Wreszcie jednak zatęskniły
za dziadkowym domkiem miłym.
A to miejsce osobliwe –
tu i ściany są szczęśliwe!

W kącie drzemie stos zabawek,
które się nie niszczą (prawie)
i – co bardzo dziwi mamę –
zawsze się sprzątają same.

W małej kuchni dziadka Marka
nie chce zmieścić się zmywarka,
za to jest tu smok z kartonu
i huśtawka z makaronu.

W sionce bryka lew (prawdziwy!),
który złości się na niby,
są też tresowane żaby
oraz tęcza z marmolady.

I nieważne, co się dzieje:
czy na dworze wiatr szaleje,
czy deszcz z nieba ciurkiem leci –
tutaj zawsze słonko świeci!

Orkiestra

Bum, bum, bum!
Tra, ta, ta!
W naszym domu wciąż ktoś gra.

Antek dudni na puzonie,
naśladując wściekłe słonie,
Franek w trąbę dziko dmie,
musisz słuchać – chcesz czy nie.

Stryj Ignacy co godzinę

brzdąka gamę na pianinie,

rock and rolla na cymbałkach

wystukuje ciocia Alka.

Ja koncerty daję w przerwach.
Po mistrzowsku gram na nerwach!

Pluszcz i zięba

Nad rzeczułką siedzi pluszcz
i szczebiocze co i rusz:
– Woda szemrze tak przyjemnie...
Weźże, ziębo, przykład ze mnie!

Plusk...!
Już pluszcz się w rzeczce pluszcze,
ze skrzydełek woda chluszcze...
– Rusz się wreszcie! – gwiżdże pluszcz.

Zięba na to: – Sam się pluszcz!
Przecież wiesz, że każda zięba
w zimnej wodzie się zaziębia!

Zwierzę

W lodóweczce, na półeczce,
grzecznie sobie leży jajo.
Wszyscy jajo za wzór mają,
bo się nie rozpycha wcale,
jest uprzejme niebywale,
miłe, gładkie, ułożone...

Kłania się przed baleronem,
serom zawsze przyzna rację,
z masłem toczy konwersacje...
Więc się wszyscy zachwycają:
– Jakie kulturalne jajo!

Nagle... cóż to!? Jakiś huk,

łubu-dubu, stuk i puk!

Oj, nie było już tak miło...
Jajo żwawo podskoczyło
(aż się sos pomidorowy
wylał niemal do połowy),
a gdy spadło z głośnym łup!,
ze skorupki wyjrzał dziób!

Sos oniemiał wręcz z wrażenia
i troszeczkę pozieleniał,
ser się przeląkł, szczypior stropił,
masło zaraz się roztopi,
kipi w złości karton mleka,
a baleron w dal ucieka!

Tylko pewien stary olej
rzekł do jaja ze spokojem:

– Cóż, sąsiedzie, powiem szczerze:
właśnie wyszło z ciebie zwierzę!

Miss Stonoga

Raz stonoga, miss piękności,
do kuzynki swej szła w gości.
Wdziała wizytową suknię,
włosy uczesała w pukle,
pociągnęła rzęsy tuszem,
skroń przykryła kapeluszem...
Jeszcze pantofelków sto
i gotowe.
– Ho, ho, ho! –
rzekła, stając na wprost lustra.
– Ta figura... I te usta!
To spojrzenie, styl, ta gracja...
Och... po prostu rewelacja!

A tymczasem u kuzynki
już bawiło pół rodzinki.
Pili kawę z cynamonem,
jedli kluski z makaronem,
wyjadali prosto z beczki
podkwaszane ogóreczki.

Ten wywijał obertasa,
tamten po mebelkach hasał...
Śmiechu było co niemiara!
Nagle ktoś zawołał:
– Zaraz!...
Zaraz, zaraz, gdzie stonoga?
Gdzie kuzynka nasza droga?

– Obiecała przyjść o piątej!
– Lecz czy przyjdzie?
– Raczej wątpię...
– Przecież była zaproszona!
– Może ma pod górkę do nas?...
– Zegar bije jedenastą.
– Już nie przyjdzie...
– Podam ciasto.

Każdy zjadł faworków tuzin
(mniam!... marzenie... niebo w buzi!),
kilka pączków, torcik słodki,
a na deser dwie szarlotki.
Wreszcie, syci i weseli,
do swych domów polecieli.

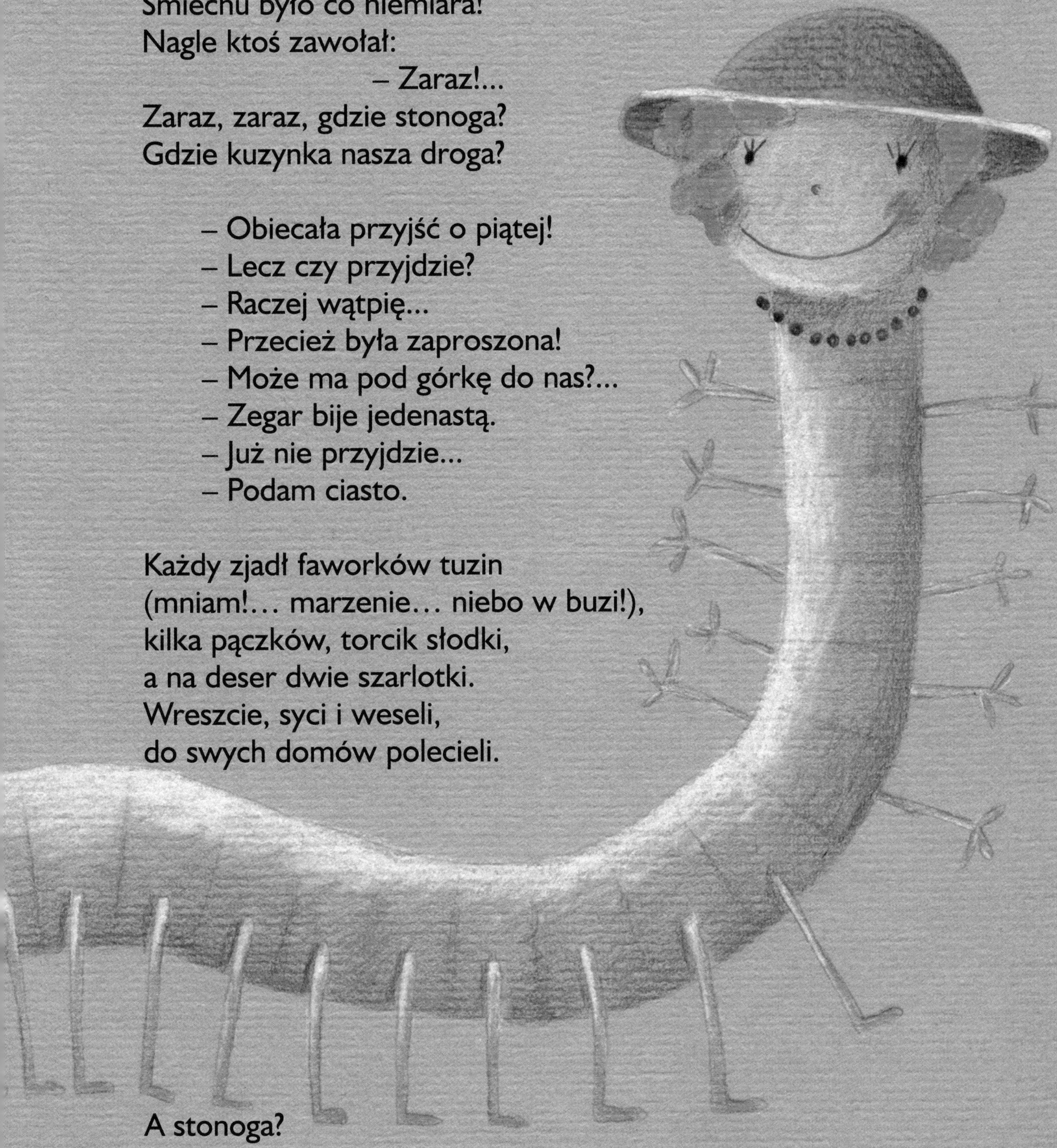

A stonoga?
Ona wciąż przed lustrem stoi,
nos pudruje, miny stroi:
– Och... wyglądam wprost przepięknie!
Ach... kuzynka z żalu pęknie!
Ciotki będą mi zazdrościć...
Oczaruję wszystkich gości!...

Skarga

Owca skarży się na męża:

– Taki mąż to straszny ciężar!

On niczego nie potrafi!
Nie naprawi drzwi od szafy,
gwoździa w ścianę mi nie wbije,
dzieciom różków nie umyje
i nie pomaluje płotu...
Ileż ja ma z nim kłopotów!

Pójść na spacer nigdy nie chce
(bo go grunt w podeszwy łechce),
kuchni w domu nie zamiecie
(bo szufelka jest na diecie),
nie posprząta też w zagrodzie
(bo sprzątanie nie jest w modzie).

Kiedy woda z kranu kapie,
on kropelki w sitko łapie,
a gdy proszę go: – Pozmywaj!,
to w kurniku się ukrywa.

Wszystko muszę robić sama,
gdyż za męża mam...

BA-RA-NA!

Budzik

Do mieszkania pewnych ludzi
trafił niklowany budzik.

Bardzo szybko się rozgościł:
spoczął sprężystymi kośćmi
na sosnowej nocnej szafce,
obok książki, przy karafce,
w świetle lampki żółto-burej
z koronkowym abażurem.

Ale w grupie tak wytwornej
budzik nudził się potwornie.
Cykał więc jak nakręcony
i na wszystkie świata strony
wymachiwał wskazówkami,
pobrzękując sprężynkami.
Głośno skrzypiał i terkotał
(aż spod łóżka przegnał kota),
a gdy ludzie jeszcze spali,
on się już do pracy palił:

– DRRRYŃ! – zaczynał swe natarcie.
– DRRRYŃ! Pobudka! DRRRYŃ! Wstawajcie!

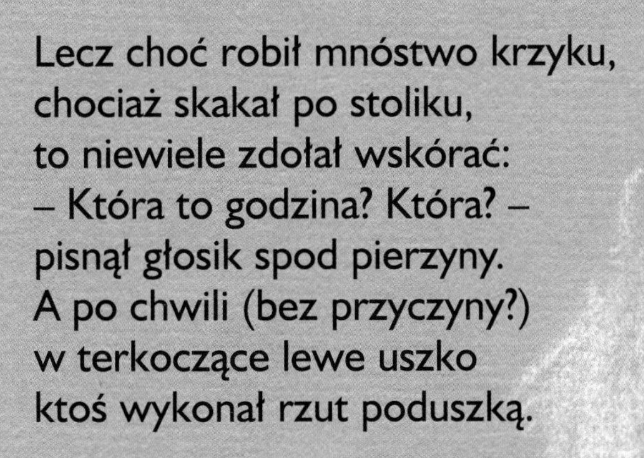

Lecz choć robił mnóstwo krzyku,
chociaż skakał po stoliku,
to niewiele zdołał wskórać:
– Która to godzina? Która? –
pisnął głosik spod pierzyny.
A po chwili (bez przyczyny?)
w terkoczące lewe uszko
ktoś wykonał rzut poduszką.

Biedny budzik gniewem kipiał!
Tupał, brzęczał i tak skrzypiał:
– Znów to samo!
Jak co rano!
Niechże oni już przestaną!

Koniec końców postanowił:
– Czas po rozum pójść do głowy.
Skoro dzwonek złości ludzi,
trzeba ich inaczej budzić.

Krótko nowych metod szukał...

– Wiem! Od jutra będę kukał!

Dama

Wpadła żaba do fryzjera:
– Na kolację się wybieram!
Pocztą przyszło wczoraj z rana
zaproszenie od bociana –
eleganckie, z barwnym szlaczkiem,
tekst pisany drobnym maczkiem:

Czekam jutro o dwudziestej.

I dlatego tutaj jestem –
proszę mnie uczesać modnie,
bo chcę damą być. Dosłownie!

Fryzjer spojrzał: – Rzeczywiście...
Nawet znaczek jest na liście!
Wnet przystąpił do czesania:
– Ma być dama? Będzie dama!

Kiedy skończył swoją pracę,
dama rzekła: – Ile płacę?
I, wytwornie uczesana,
wnet pognała do bociana.

FRYZJER

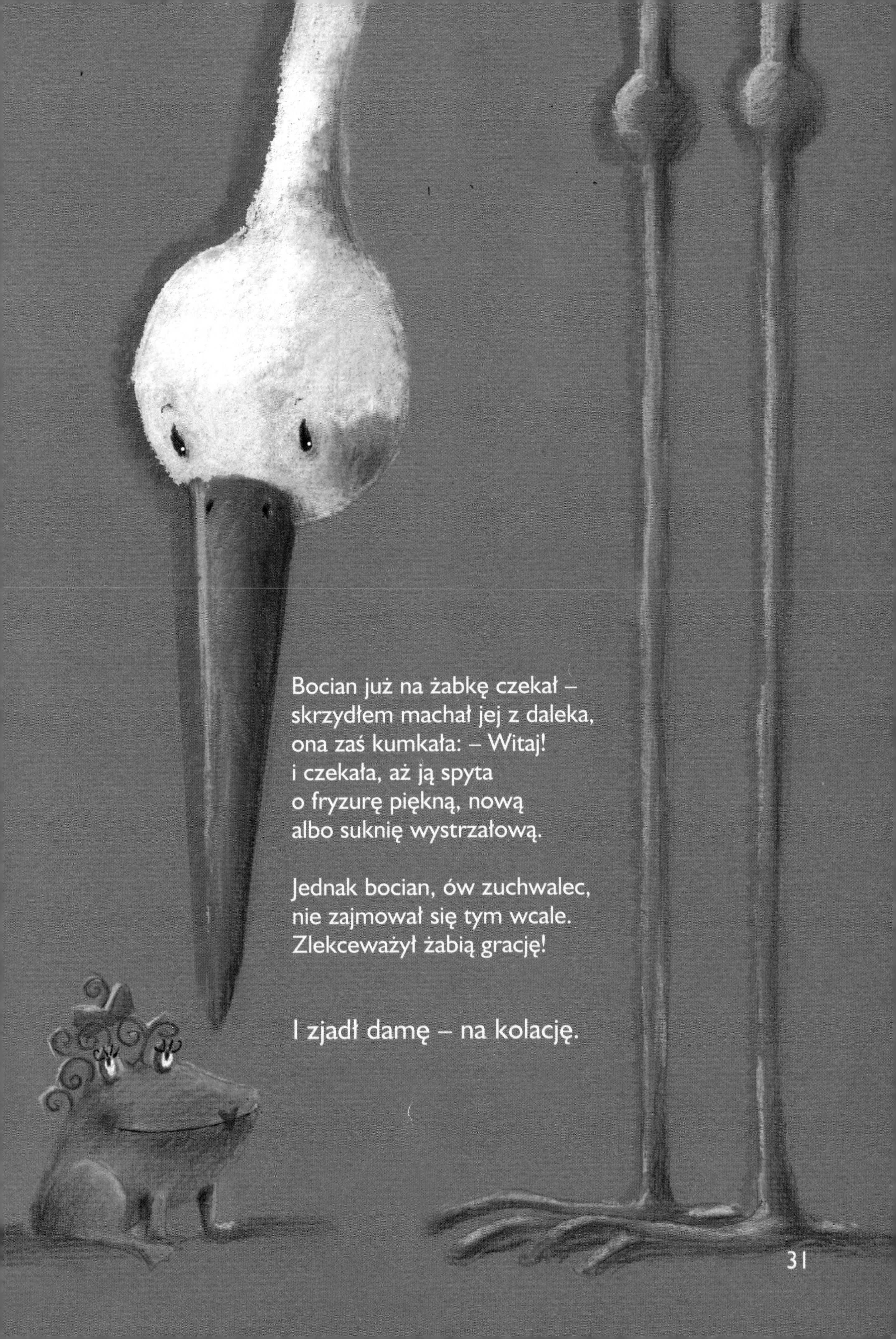

Bocian już na żabkę czekał –
skrzydłem machał jej z daleka,
ona zaś kumkała: – Witaj!
i czekała, aż ją spyta
o fryzurę piękną, nową
albo suknię wystrzałową.

Jednak bocian, ów zuchwalec,
nie zajmował się tym wcale.
Zlekceważył żabią grację!

I zjadł damę – na kolację.

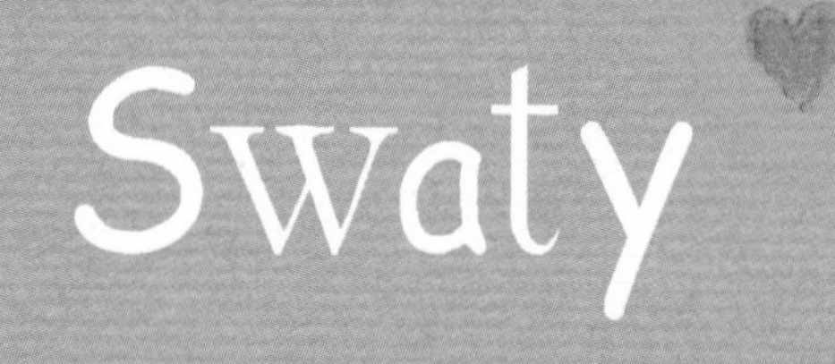

Swaty

W maju giez nad łąką latał
i dokoła wszystkich swatał.

Słoń za żonę wziął słoninkę,
konik – polną koniczynkę,
drab ożenił się z drabinką,
drwal natomiast z pewną drwinką.
Za to kret...
...poślubił krecię.
I – jak bywa na tym świecie –
właśnie bawią dziecię trzecie.

Nienacek

Szykowałam psu śniadanie,
gdy do kuchni, niespodzianie,
wpadł nietoperz w żółtych szortach.
Myślę sobie: – Co, u czorta!?
Pies się jeży, zęby szczerzy,
groźnym wzrokiem zwierza mierzy.

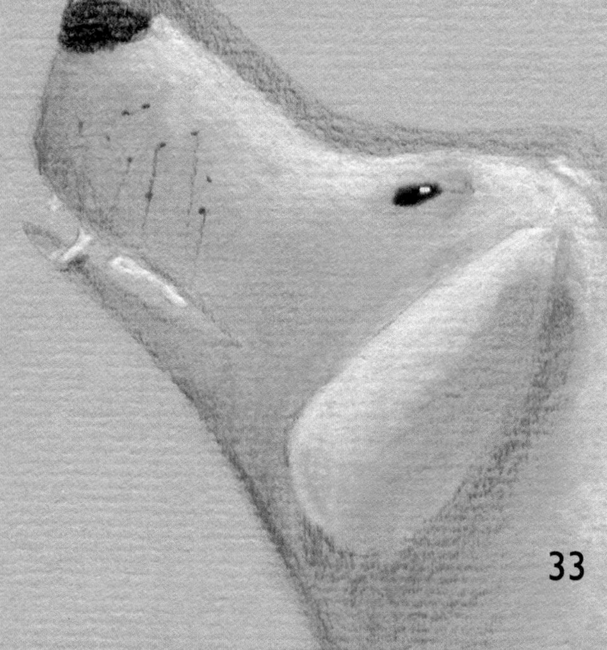

Rzecz zupełnie niedorzeczna –
jednak staram się być grzeczna!
– Skąd przybywasz? – pytam gacka.
A on na to: – Ja? Znienacka.

Kiedy zadzieram do góry głowę...

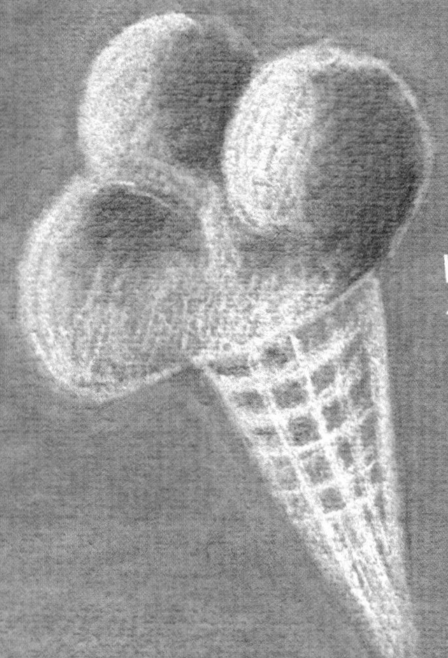

Kiedy zadzieram do góry głowę,
to widzę pyszne lody śliwkowe,
a po tych lodach, niczym po stoku
w dół sunie para błękitnych smoków.

Obok pierzaste żaby-straszydła
rozpościerają ogromne skrzydła,
ślimak (wraz z muszlą) fika koziołki,
na miotle gnają dwa muchomorki.

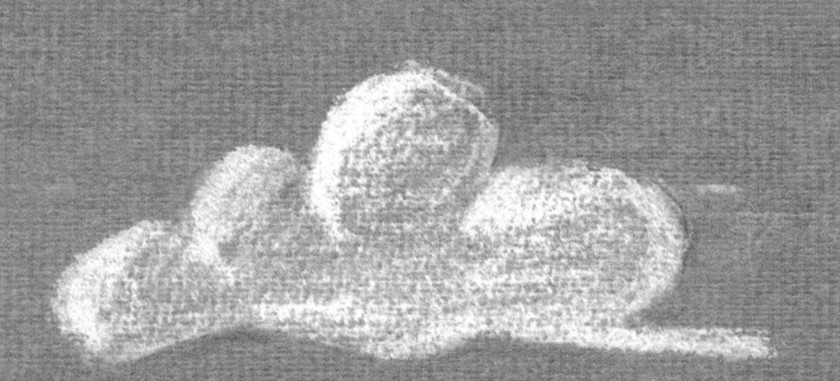

Słoń się wdrapuje na karuzelę,
bordowe cielę ogonem miele,
a rozbrykane potomstwo kacze
prosto na księżyc gna odkurzaczem.

Widzę żyrafę, całą w stokrotkach,
Pałac Kultury,
pudla na wrotkach,
tort orzechowy,
parę kaloszy,
dwa koty w worku,
podgrzybków koszyk,
w aeroplanie widzę bałwana
i na huśtawce hipopotama.

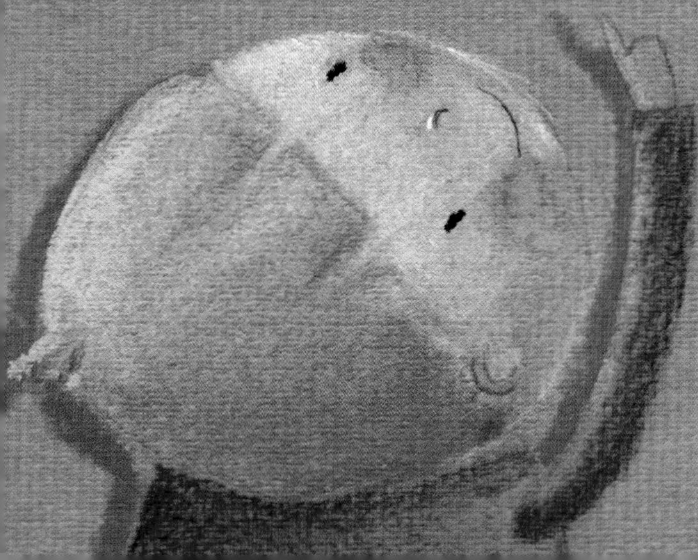

Lubię zadzierać głowę do góry
i obserwować na niebie chmury.

Latawiec

Gra z kroplami deszczu w berka,

z chmurą tańczy w rytm oberka,

z wiatrem na wycieczkę płynie,

sadzi dynie na kominie,

a na chmurkach przebiśniegi,

liczy na księżycu piegi,

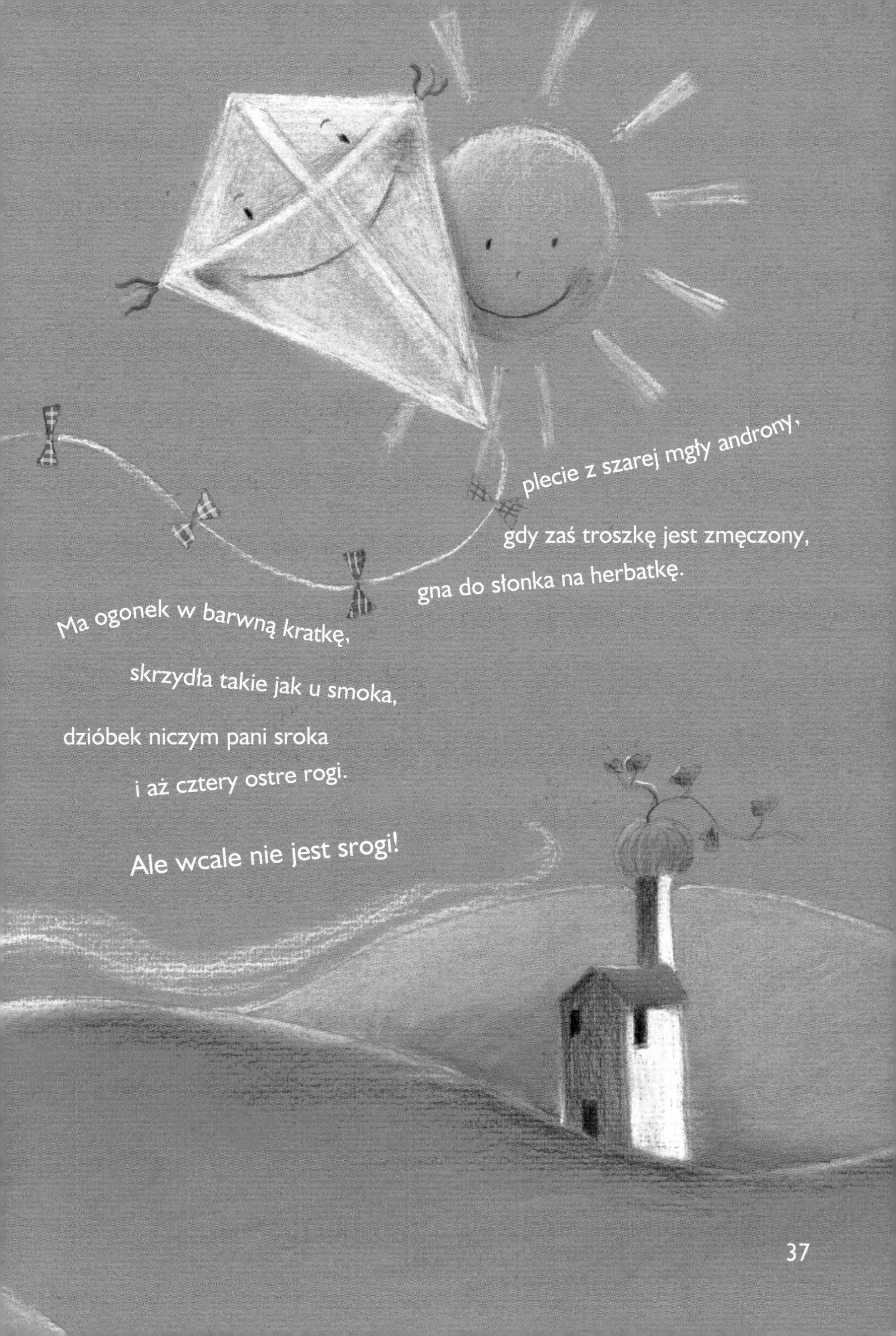

plecie z szarej mgły androny,
gdy zaś troszkę jest zmęczony,
gna do słonka na herbatkę.

Ma ogonek w barwną kratkę,
skrzydła takie jak u smoka,
dzióbek niczym pani sroka
i aż cztery ostre rogi.

Ale wcale nie jest srogi!

Biedroneczko, leć do nieba...

Biedroneczko, leć do nieba,
przynieś mi kawałek chleba!
Przynieś słonka promyk złoty,
psotnej chmurki miękki dotyk,
przynieś barwne ptasie piórka
i uściski dziadka Jurka.

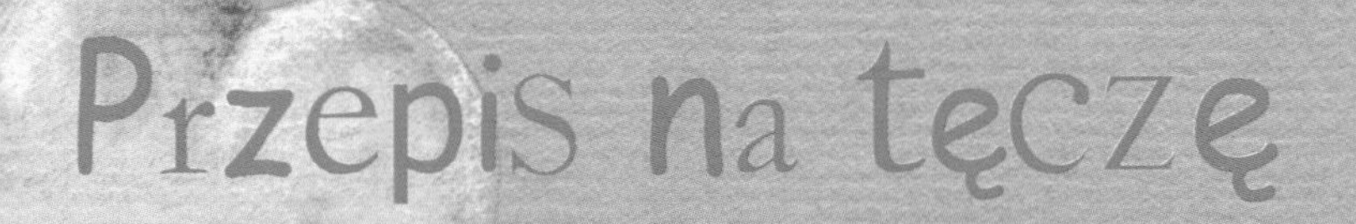

Przepis na tęczę

Weź bukiecik polnych wrzosów,
dzbanek chabrowego sosu,

szklankę nieba wlej pomału,
garść niebieskich daj migdałów,

dorzuć małą puszkę groszku,
nać pietruszki wsyp (po troszku!),

włóż pojęcia dwa zielone
i zamieszaj w lewą stronę.

Dodaj skórkę od banana,
łąkę mleczy i stóg siana,

szczyptę słońca, dziury z serka
i cytryny pół plasterka.

Weź jesieni cztery skrzynki,
zapach świeżej mandarynki,

pompon od czerwonych kapci,
barszcz z uszkami (dzieło babci)...

Jeszcze maków wrzuć naręcze
i gotowe!

Widzisz tęczę?...

Kaloryfer

Wczoraj z rana u sąsiada
kaloryfer z kranem gadał:

– Bul, bul, bul...
– Kapu... kap...

Och, grzejniczku, coś tak zbladł!?

Kaloryfer jęknął z cicha,
kichnął, stęknął, nim wyprychał:

– Źle się czuję, drogi kranie.
Srodze mnie w zaworach łamie
i w żeberkach wciąż bulgoce...
A w dodatku już się pocę,
więc gorączkę chyba mam...

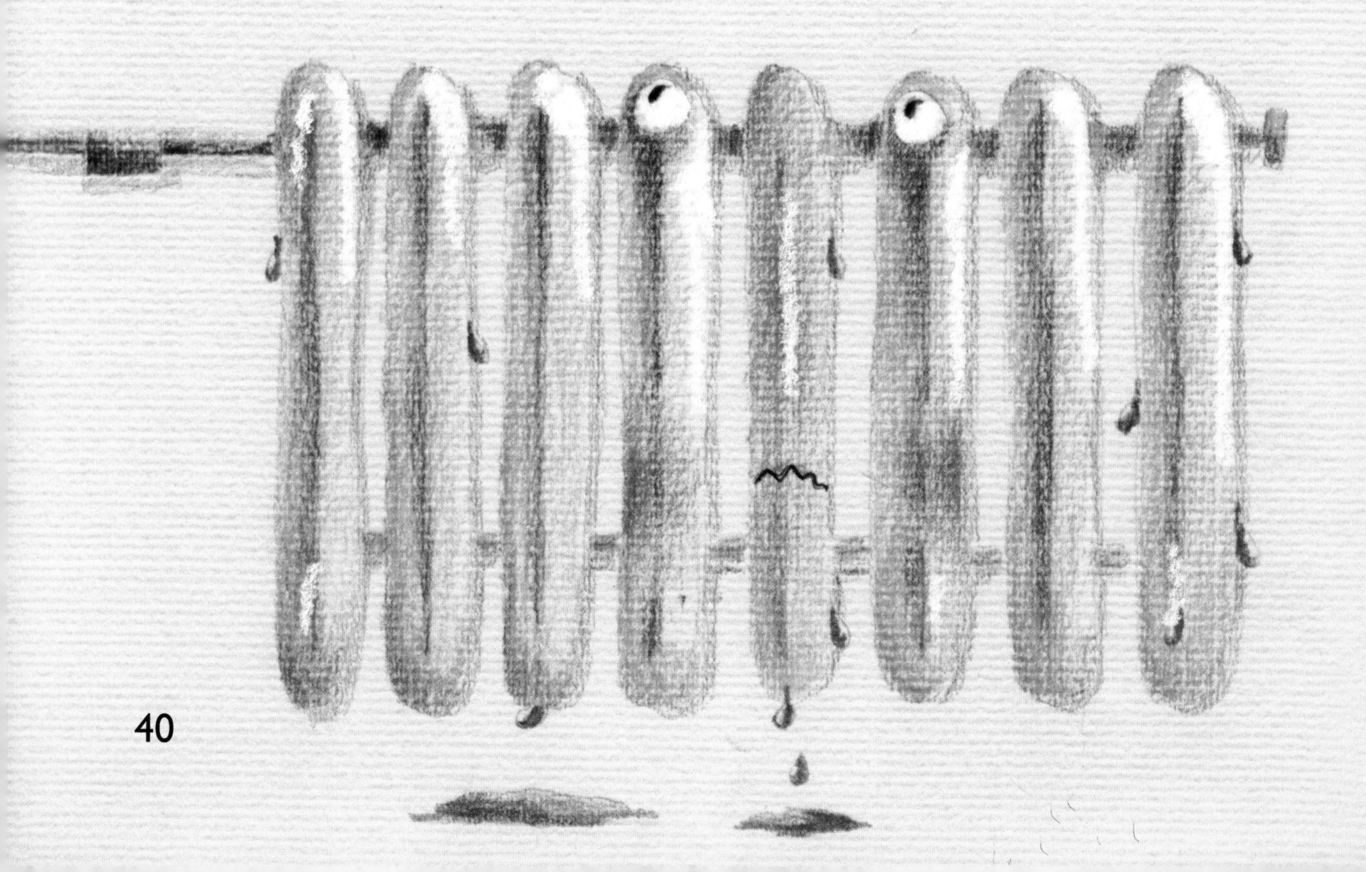

Na to z troską kapnął kran:

– Trzeba wezwać pana Henia!
On pomoże, bez wątpienia...

Przybiegł Henio z narzędziami:
piłą, młotkiem, obcążkami
i francuskim ciężkim kluczem.
Łup, łup, łup!... w żeberka tłucze.

– Sprawa wcale nie jest błaha –
mruczy i suwmiarką macha,
potem w zawór palcem pstryka...

– Z obserwacji mych wynika,
że pogoda panu szkodzi.
Kiedy troszkę się ochłodzi,
pewnie pan do zdrowia wróci.

Henio coś pod nosem nucił,
zakręcając wszystkie kurki
i na supły wiążąc rurki.
Stuknął jeszcze raz w żeberka:
– Usunięta już usterka!

– Dzięki – zabulgotał kran.

– Szczerze mówiąc, nie wiem sam,
czemu się biedaczek uparł
w lecie grzać, gdy taki upał...

Bałwan na plaży

Co ten bałwan tutaj robi?!
Dawno już stopniały lody,
woda ciepła niczym zupa,
a na plaży straszny upał!...

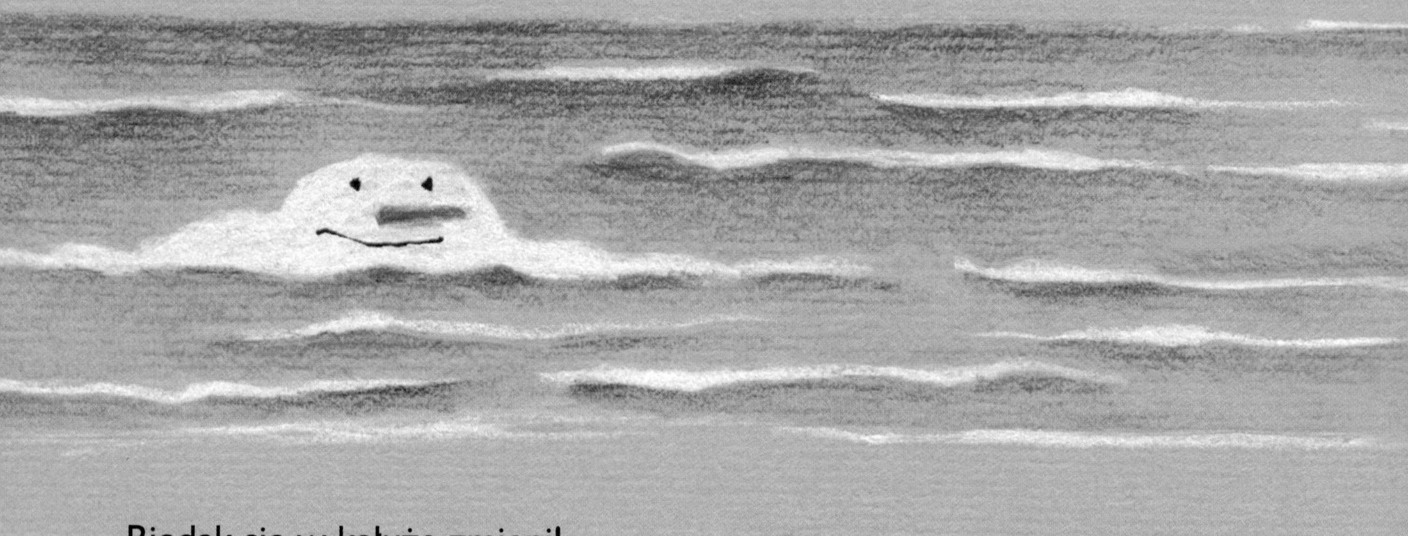

Biedak się w kałużę zmieni!
Nie doczeka tu jesieni!!!
Może schować go w lodówce?
Bo jak nie, to zniknie wkrótce!

Buja się na morskich falach
i coś porykuje z dala,
tańczy sobie wśród kamieni,
nawet się troszeczkę pieni...

Lecz nie pieni się ze złości.
Bałwan pieni się z radości!
On się świetnie czuje w lecie,
bo to morski bałwan przecież!

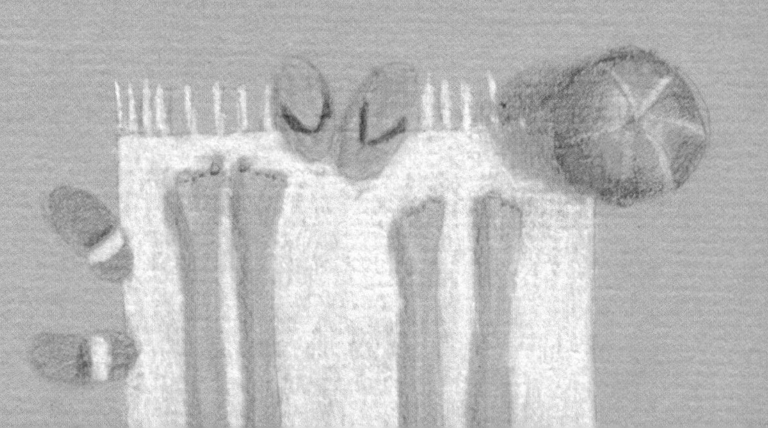

Zamek

Siadło na plaży siedmiu grubasków –
w mig zbudowali zameczek z piasku.

Zameczek dziwny to niebywale:
komnat w nim nie ma wcale a wcale,
nie ma też schodów ani krużganków,
fosa nie strzeże dojścia do zamku,
nie widać straży ani dam dworu,
kucharza, króla, błazna, doktorów...

Bowiem tych siedmiu miłych grubasków
wybudowało z żółtego piasku
zamek prześliczny, lecz... błyskawiczny.
Zwyczajny suwak.

Za to praktyczny!

Szuflada

W szufladzie pewnego biurka
gnieździła się wierszy furka.

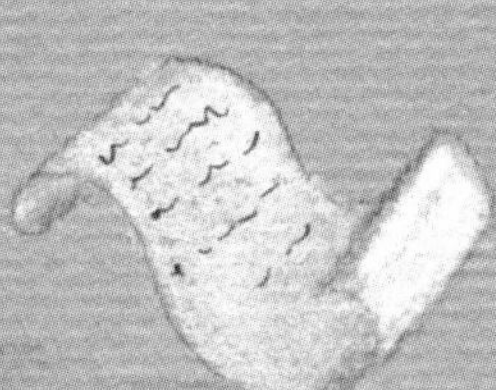

Ten pierwszy mówił o krecie,
co twista tańczy w balecie,
a drugi o saksofonie,
któremu głos skradły słonie.

Wiersz piąty prawił o szelkach,
guzikach i o uszczelkach,
zaś siódmy plótł coś o duchu,
co lęka się karaluchów.

Czterdziesty wiersz opowiadał
o żółwiu szybkim nie lada,
a setny bajał o byku,
co pieje w głos: Kukuryku!

Tych wierszy było ze dwieście
(szuflada więcej nie zmieści),
a autor pisał i pisał,
choć mebel ledwie już dyszał...

– O, rety! Jak tu jest ciasno! –

ktoś nagle z szuflady wrzasnął.
(To chyba krzyczał wiersz szósty –
o mądrej główce kapusty).

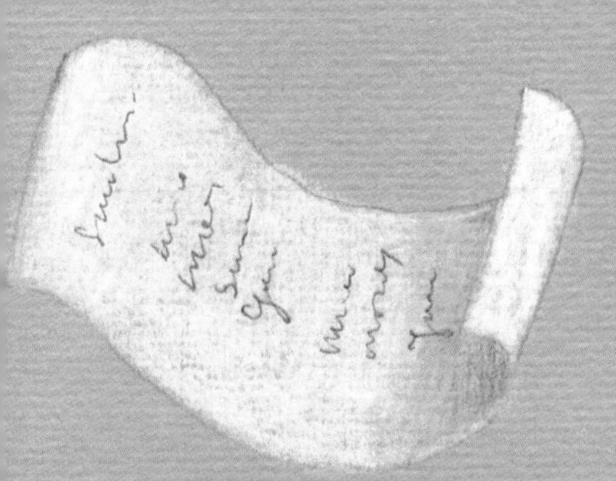

– Ruszamy stąd, nie ma rady! –

i wyszły wiersze z szuflady.
Rozlazły się wnet po świecie,
by sobą cieszyć berbecie.

Zielona żaba

Żaba rzekła raz sąsiadom:

– Wszystkim chętnie służę radą!
Więc pytajcie, bo dla żaby
nie ma nazbyt trudnej sprawy.

Kumkam wszakże doskonale
(sama nie wiem, skąd ten talent?),
pływam, skaczę i o tańcach
wiedzę mam w koniuszku palca.
A w dodatku po mym dziadku
otrzymałam właśnie w spadku
pomyślunku cztery skrzynie.
Więc zasłynę w całej gminie!

Zając wnet do żaby kica:
– Twoja wiedza mnie zachwyca!
Pomóż mi, żabeczko złota,
bo po uszy tkwię w kłopotach!
Mój ogonek od wakacji
już wymaga renowacji,
chciałbym kupić sobie nowy,
lecz do tego nie mam głowy...
Ja zakupów wręcz nie znoszę!
Droga żabko, bardzo proszę,
doradź mi fasonik modny,
lekki, zwiewny i wygodny!

Zając skacze wokół żabki
i całuje żabie łapki,
w oczy patrzy jej błagalnie,
ale wszystko to na marne...

Bowiem żaba – rzecz wiadoma –
na świat przyszła bez ogona.
Choć obyta i uczona,
to w tej kwestii jest zielona.

Chmury

Pokłóciły się dwie chmury:
– Ranek będzie dziś ponury.

– Co?! Ponury? Nie ma mowy!
Skąd ci przyszło to do głowy?!

Dzisiaj będzie słońce świecić!

– Znowu słońce? Zgłaszam sprzeciw!
Upał trwa już od tygodni!
Trzeba wreszcie skropić chodnik,
podlać drzewa, płot i dzieci.

Słońce dziś nie będzie świecić!

Pokłóciły się chmurzyska...
Jedna w drugą gromy ciska,
druga w złości pierze jeży,
kipi gniewem, zęby szczerzy,
raz się dąsa, raz oburza...

A to ci dopiero burza!

Parasol

Najpierw spadły trzy kropelki
i to nie był kłopot wielki.
Później siąpił kapuśniaczek –
nie zmartwiło mnie to raczej.

Ale gdzieś po siedmiu chwilach
deszczyk zaczął się nasilać.
Już nie kapał, tylko lał!
Już nie siąpił – ciął na schwał!

Deszcz na nos mi kapnął kap!
Deszcz mi pac! za kołnierz wpadł.
Deszcz mi chlupnął w lewym bucie...
Jakże przed tym deszczem uciec?!

Deszcz przemoczył w parku wrony,
psom zmył głowy i ogony,
polał dachy i berety,
parapety i skarpety,
hulajnogi i rowery
i na wierzbie gruszki cztery.

Teraz wodą chlusta w pieszych...

A parasol?
On się cieszy!

Żurawiec

Na trawie siedzi żurawiec.
Ni żuraw to, ni latawiec...
Przedziwne zwierzę-nie-zwierzę.
Z kuperka sterczy mu pierze,
ozdobą jego czupryny
są pukle barwnej krepiny,
na skrzydłach zaś stoją dęba
tęczowe włosy w trzech rzędach.

W dodatku żurawiec dudni
– jak żuraw, taki od studni –
półgębkiem się przy tym śmieje
i tańczy, gdy wiatr zawieje.

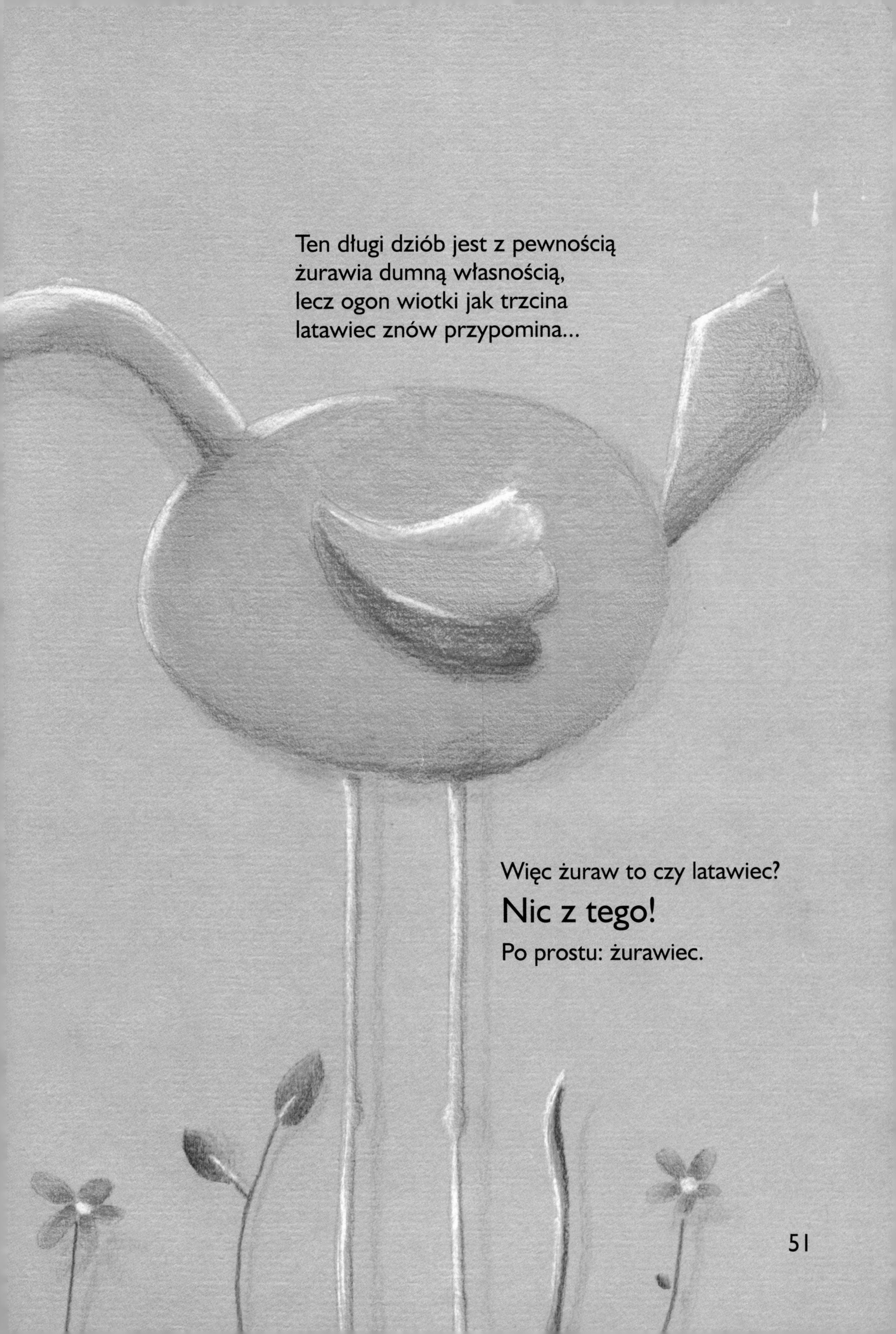

Ten długi dziób jest z pewnością
żurawia dumną własnością,
lecz ogon wiotki jak trzcina
latawiec znów przypomina...

Więc żuraw to czy latawiec?

Nic z tego!

Po prostu: żurawiec.

Nietoperz

Nietoperz podobno jest brzydki.
Paskudnie mechate ma łydki
i z oczu mu patrzy niedobrze
(jak osie złośnicy lub kobrze).

Jest trochę podobny do szczura –
sierść bura i mina ponura,
a trochę do smoków-straszydeł –
to z racji pazurów i skrzydeł.

Nietoperz ukrywa się w mroku
(chcąc pewnie oszczędzić nam szoku),
a sypia za dnia i rankami...
w dodatku do góry nogami!

Doprawdy przedziwne to zwierzę...
Lecz można polubić je szczerze!

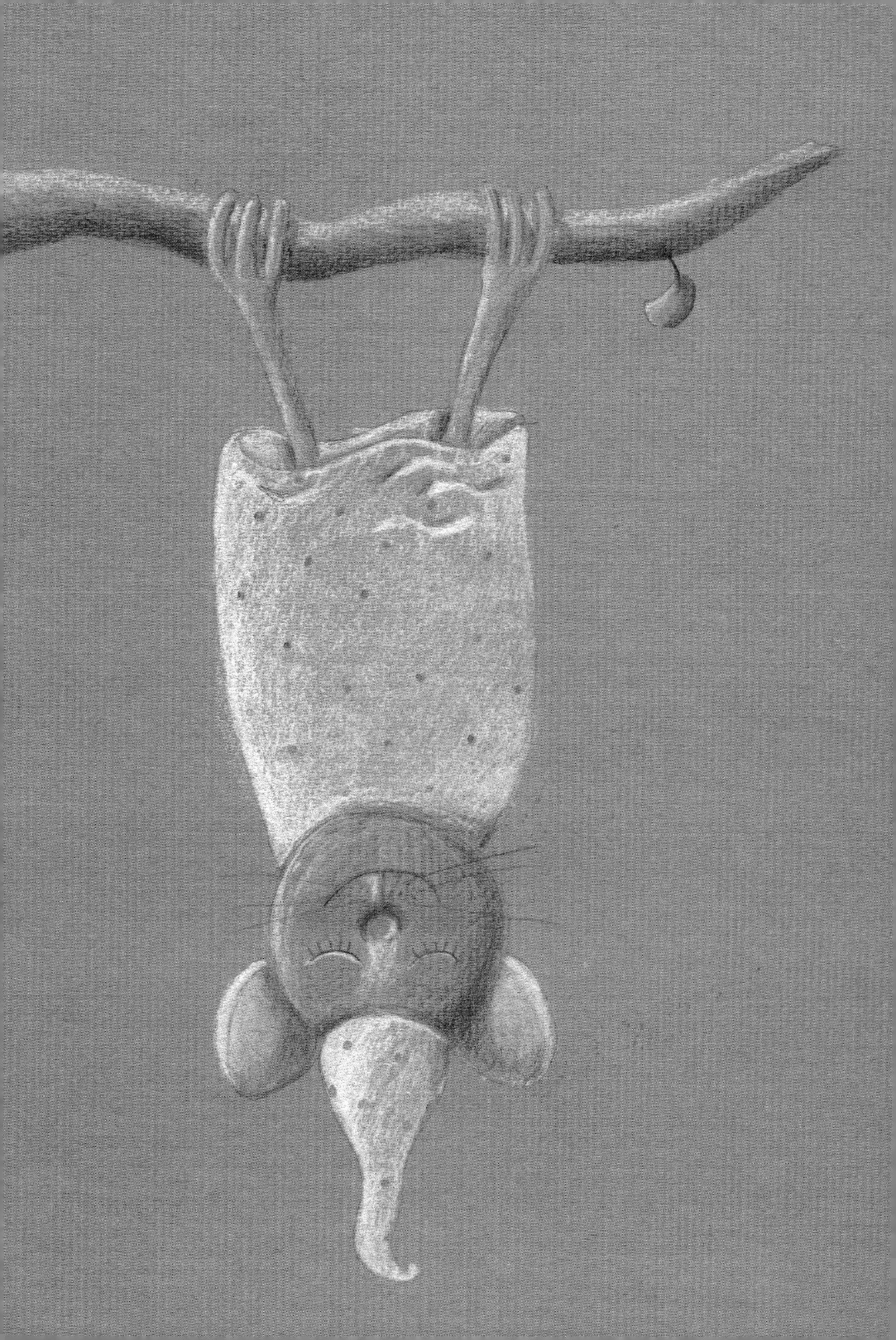

Kalosz

Zielony kalosz, zamiast po błocie,
mknie po wytwornym molo w Sopocie.
Ludzie się dziwią: – Skąd tutaj kalosz!?,
a on pozdrawia ich gromkim: – Halo!

– W dodatku gada! Rzecz nie do wiary! –
dżentelmen w muszce zdjął okulary,
szkiełka rękawem porządnie wytarł...
Nic to nie dało – kalosz nie znika!

Wszystkim uprzejmie bardzo się kłania,
chwali fryzury dam i ubrania,
dzieciom rozsyła słodkie uśmiechy:

– Udane mają państwo pociechy!

Kiedy na koniec mola dociera,
w rękach turysty błyska kamera –
na ławce siedzi drugi kaloszek!
Siedzi i zgrabny opala nosek.

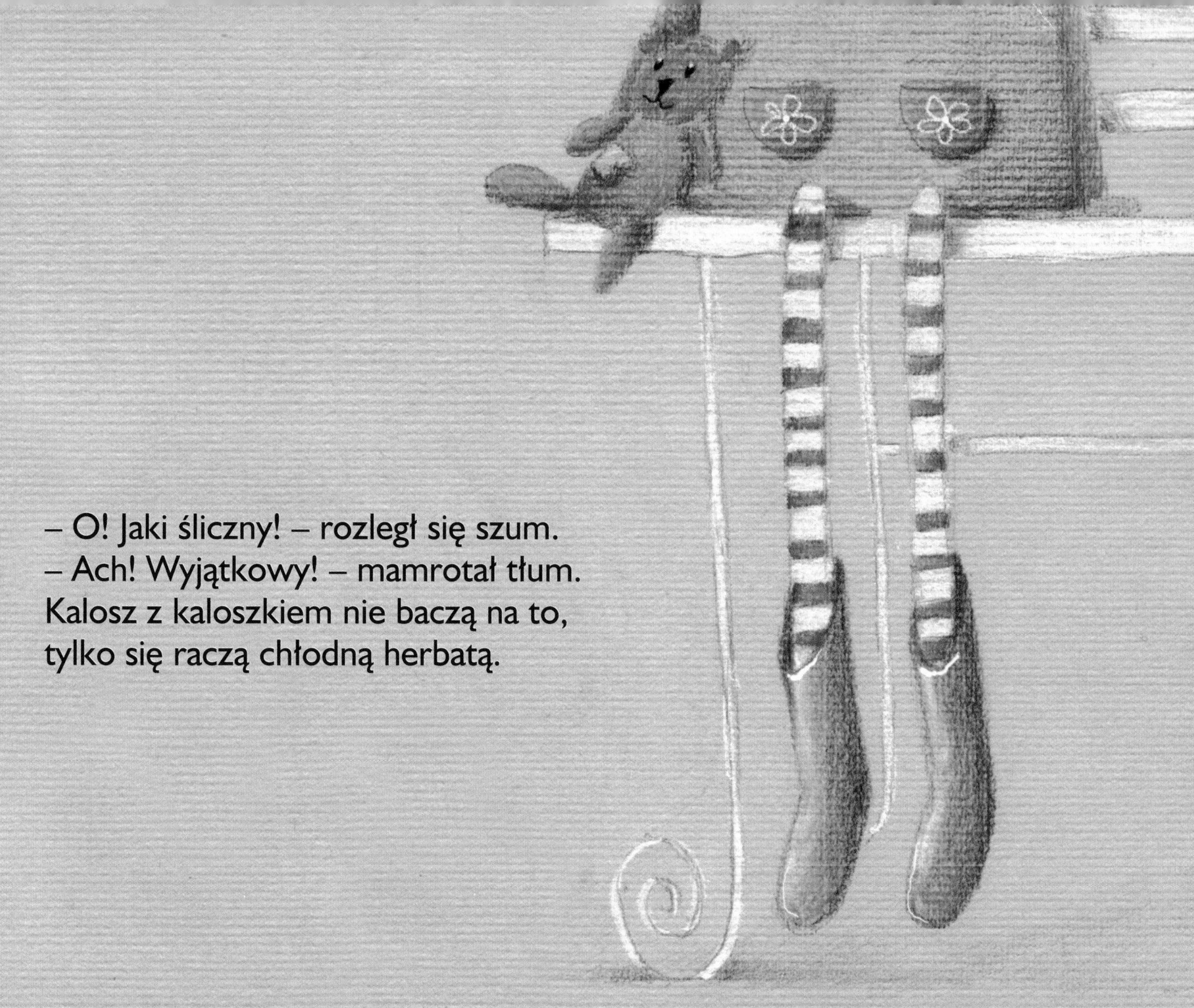

– O! Jaki śliczny! – rozległ się szum.
– Ach! Wyjątkowy! – mamrotał tłum.
Kalosz z kaloszkiem nie baczą na to,
tylko się raczą chłodną herbatą.

Aż któryś mówi: – Przejdźmy się troszkę.
Drepczą więc sobie kalosz z kaloszkiem
przed oniemiałym z podziwu tłumem.

A ja zrozumieć ciągle nie umiem,
czemu widoczek taki poczciwy
wszystkich w Sopocie ogromnie dziwi?

Wszak to obyczaj jest dobrze znany –
kalosze zawsze chodzą parami!

Rynnojad

Podczas deszczu
w pewnej gminie
zginął cały zapas rynien.

Woda leje się po ścianach,
okiennicach i dywanach,
po kominie żwawo ciurka
i do pieca daje nurka...

A deszcz kapie wciąż – kap... kap...
Kto nam wszystkie rynny skradł?!

Burmistrzowi pęka głowa,
posiwiała burmistrzowa.
Praczka pędzi do doktora:
– Przez te rynny jestem chora!

A deszcz kapie wciąż – kap, kap.
...czyżby ktoś te rynny zjadł?!

Kogut pieje: – Co mam począć?
Piórka mi się wnet przemoczą!
Krowa muczy: – Taka strata!
Właśnie mi zamokła łata!

A deszcz kapie wciąż – kap. Kap!
Kto te wszystkie rynny zjadł?!!!

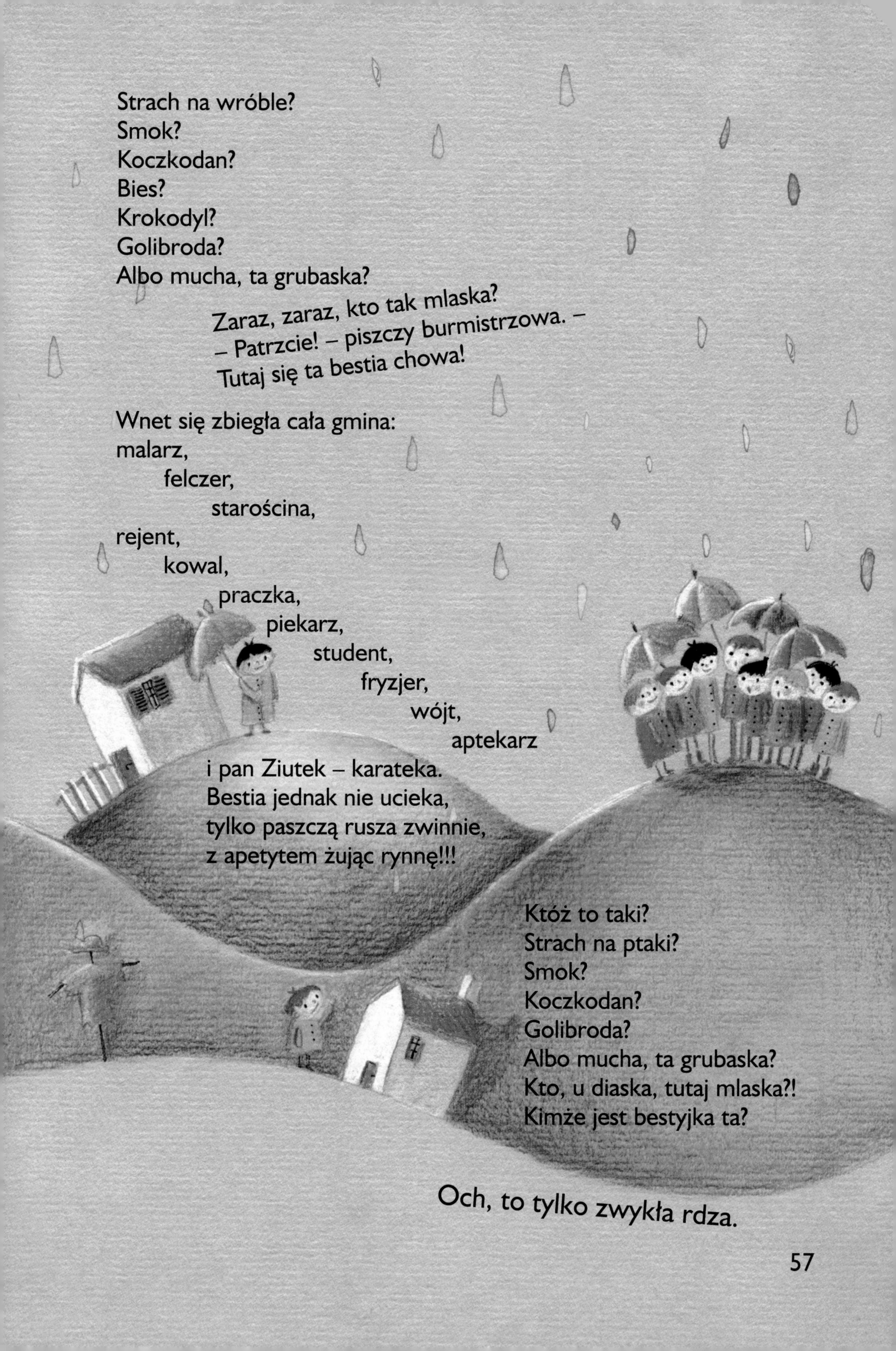

Strach na wróble?
Smok?
Koczkodan?
Bies?
Krokodyl?
Golibroda?
Albo mucha, ta grubaska?

Zaraz, zaraz, kto tak mlaska?
– Patrzcie! – piszczy burmistrzowa. –
Tutaj się ta bestia chowa!

Wnet się zbiegła cała gmina:
malarz,
felczer,
starościna,
rejent,
kowal,
praczka,
piekarz,
student,
fryzjer,
wójt,
aptekarz
i pan Ziutek – karateka.
Bestia jednak nie ucieka,
tylko paszczą rusza zwinnie,
z apetytem żując rynnę!!!

Któż to taki?
Strach na ptaki?
Smok?
Koczkodan?
Golibroda?
Albo mucha, ta grubaska?
Kto, u diaska, tutaj mlaska?!
Kimże jest bestyjka ta?

Och, to tylko zwykła rdza.

Drobiobranie

Cip, cip, cip.
Taś, taś, taś!

Wbiegł do lasu mały Staś.

Ciężki kosz z wikliny dźwiga,
między paprotkami śmiga,
mknie po trawie,
gna przez mech...
Pewnie zaraz straci dech!

Pędzi z górki na pazurki,
nawołując:

Gąski, kurki!
Cip, cip, cip!
Taś, taś, taś!!!

Bardzo już się zmęczył Staś,
ale nadal runo depcze
i raz krzyczy, a raz szepcze:

Taś, taś, taś!
Cip, cip, cip...

A kosz pusty. Ale wstyd!

Konik

Do kowala przyszedł konik.
Rzecze: – Ślimak mnie przegonił!

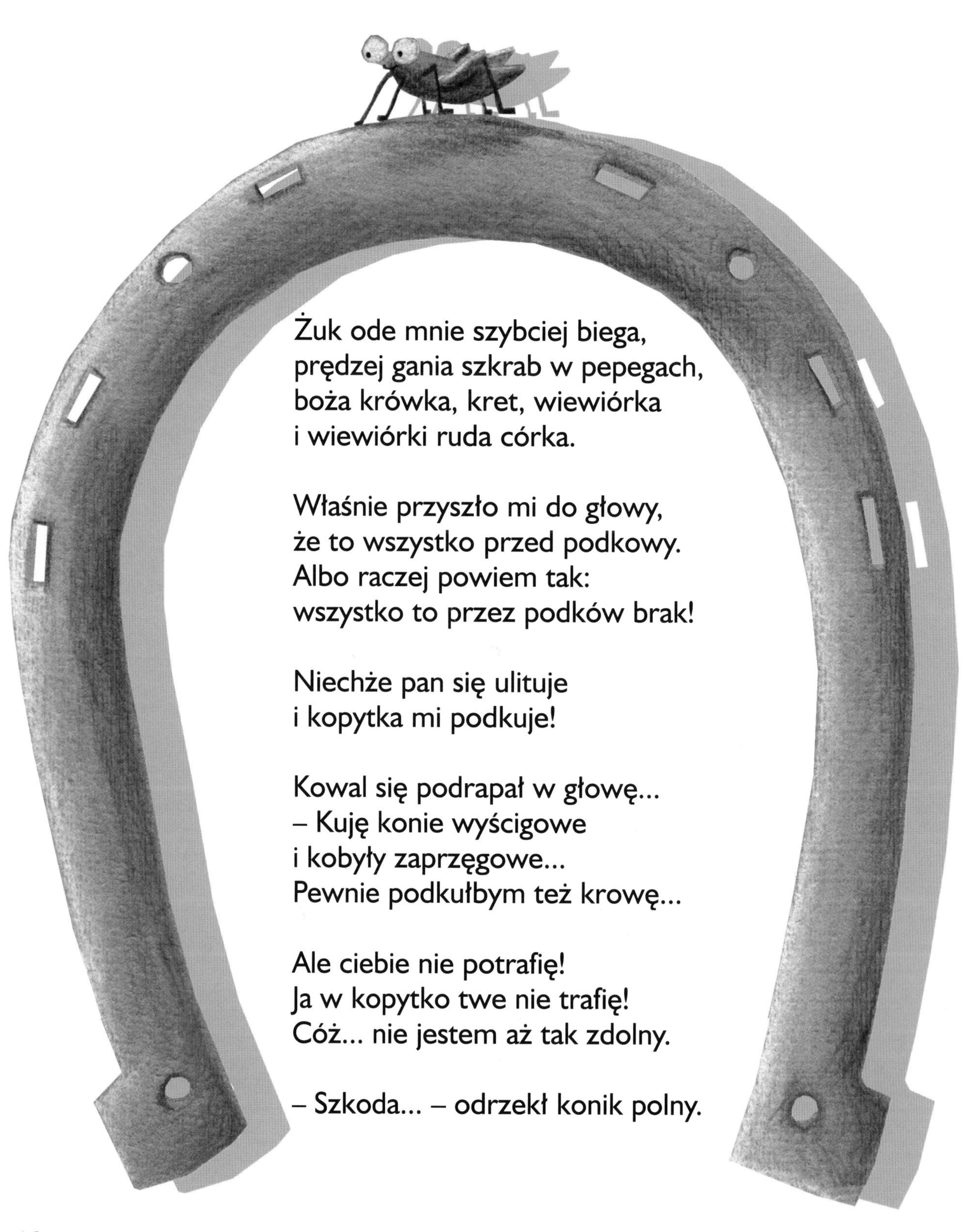

Żuk ode mnie szybciej biega,
prędzej gania szkrab w pepegach,
boża krówka, kret, wiewiórka
i wiewiórki ruda córka.

Właśnie przyszło mi do głowy,
że to wszystko przed podkowy.
Albo raczej powiem tak:
wszystko to przez podków brak!

Niechże pan się ulituje
i kopytka mi podkuje!

Kowal się podrapał w głowę...
– Kuję konie wyścigowe
i kobyły zaprzęgowe...
Pewnie podkułbym też krowę...

Ale ciebie nie potrafię!
Ja w kopytko twe nie trafię!
Cóż... nie jestem aż tak zdolny.

– Szkoda... – odrzekł konik polny.

Żabka

– Cześć, stworku! Kim jesteś?
– Ja? Żabką.

– A skaczesz czasami?
– Dość rzadko.

– A kumkać potrafisz?
– Nie, wcale.

– I jak się z tym czujesz?
– Wspaniale!

– A lubisz mokradła?
– W ogóle!

– A wilgoć jak znosisz?
– Och... Z bólem.

– Nie kochasz więc deszczu...
– ...i błota!

– A relaks w kałuży?
– Głupota!

– A gdzie, żabko, mieszkasz?
– W Kaliszu.

– A trochę dokładniej?
– W karniszu.

Wihajster

– Cóż wyprawia ten wihajster?! –
denerwował się pan majster.

A wihajster, jak to on:
ganiał z pędzlem stado wron,
każdej domalował kwiatek
i berecik na dodatek.

Później do warsztatu wpadł
i pudełko śrubek skradł –
ugotował na nich zupę,
a z nakrętek ciasto upiekł.
Ciasto było z bakaliami,
kremem oraz pinezkami
i oblane dla ozdoby
gęstą pastą do podłogi.

– Cóż wyprawia ten wihajster?! –
denerwował się pan majster.

A wihajster, jak to on:
najpierw pchłom zbudował dom
(elegancki – murowany
z herbatników i śmietany),
potem capnął ciężki młotek
(obiecywał: – Oddam potem!),
lecz za chwilę, jakimś cudem,
zmielił go na cukier puder.

– Cóż wyprawia ten wihajster?! –
denerwował się pan majster.

A wihajster, jak to on:
zrobił psu z kiełbasy tron,
wrotki wyciąć chciał z arbuza,
lecz mu arbuz nabił guza –
zląkł się wtedy i w te pędy
wlazł na drzewo (lecz którędy?!).
Na tym drzewie fikał salta,
krukom z kory kroił palta,
grał na trąbie niczym słoń...
Aż się wróbel stukał w skroń!

„Cóż wyprawia ten wihajster?!",
znowu krzyknąć chciał pan majster,
lecz... nie zdołał.
Poczerwieniał...
Czy ze złości?
Bez wątpienia!
Zatrząsł się, wymruczał: – Ech...
Bo go właśnie porwał śmiech!

Dzień Niegrzeczności

W pewnym miasteczku, daleko stąd,
jest oprócz całkiem typowych świąt
– Dnia Misia z Pluszu i Święta Kobiet –
jedno szczególne. Wręcz wyjątkowe!
Maluchy zwą je Dniem Niegrzeczności.
Każdy im tego święta zazdrości!...

Tego dnia bowiem nikt nic nie musi
i każdy robi to, co go kusi.

Dzieci nie muszą szorować zębów
ani myć uszu trzy razy z rzędu,
wycierać butów w starą słomiankę,
mówić, że lubią cioteczkę Hankę,
nie muszą nawet starszym się kłaniać!

I nikt niczego im nie zabrania,
więc zamiast mleka prosto od krówki
codziennie trąbią colę z lodówki,
mogą się garbić, chodzić bez czapki,
pociągać nosem, deptać rabatki
i karmić kundle swoim śniadaniem.

W gościach natychmiast brudzą ubranie,
ręce trzymają w kieszeniach spodni,
chodzą do tyłu, bo tak jest modniej,
wciąż bałaganią, nie ścielą łóżek
i na wyścigi skaczą w kałuże.
A mają przy tym morze radości!

Kiedy wypada Dzień Niegrzeczności?
W lutym, kolego.
A tak dokładnie to trzydziestego.

Wielbłąd i góry

W zeszły piątek o dziewiątej
stanął wielbłąd pod Giewontem.

Olśnił zwierza widok góry,
gapił się pół dnia do góry,
głośno wzdychał, prychał, stękał,
prawie już z zazdrości pękał...

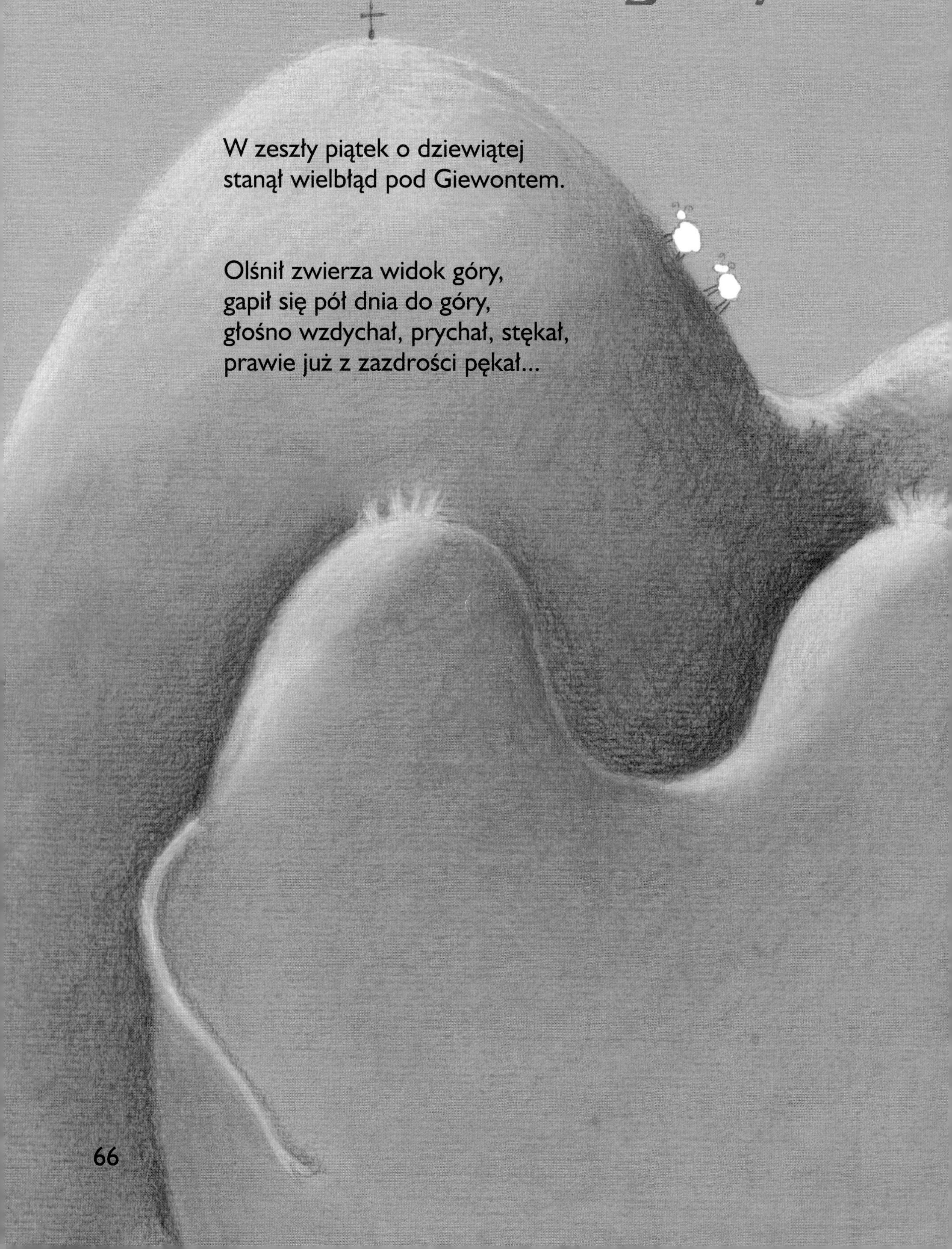

Aż nareszcie stwierdził: – Jednak
co dwie góry to nie jedna.
Na swe garby zerknął z dumą:

– Wy jesteście mą fortuną!

Jeszcze tylko zwiedził Gdynię
i powrócił na pustynię.

Żółw Nikodem

Żółwik Nikodem, plotkarz nie lada,
na pogawędkę gnał do sąsiada...
„Czasu mam mało, pół dnia mniej więcej,
wezmę taksówkę, to będzie prędzej”.

– Halo!
Centrala?...
Tu żółw Nikodem.
Wzywam taksówkę, fiata lub skodę.
I bardzo proszę, niech jedzie gazem,
nie w żółwim tempie jak zeszłym razem.
Adres?
Rzecz jasna! Już go dyktuję,
niechże dokładnie pani notuje:
Żółwia Skorupa.
Pięterko trzecie.
Gdzie to się mieści?... Na moim grzbiecie!

Na ganeczku u Leona

Na ganeczku u Leona
jakiś urwis zasiał...
słonia!

Leon myśli: „Kwiat czy słoń,
z sercem trzeba podejść doń".

Z troską go podlewa co dzień,
dba, by biedak nie spał w chłodzie,
karmi słonia marchewkami
i nawozi go czasami.

Słonik rośnie wszerz i wzdłuż,
trąba mu kiełkuje już,
a brzuch rzuca cień na kwiatki
i rzeżuszkę u sąsiadki.

Gdy w południe słonko świeci,
pot słoniowi ciurkiem leci.
Leon kupił więc parawan
(choć sąsiadka wszczęła raban),
rach, ciach, trach i po kłopocie –
teraz słonik się nie spoci.

Łapie muszki, strzyże uszkiem,
czasem skubnie cud-rzeżuszkę
lub zatrąbi coś donośnie.
I wciąż rośnie, rośnie, rośnie...

Już donica trzeszczy w szwach,
wreszcie z hukiem pęka: Trach!
Ganek robi się za ciasny,
bo słoń rozmiar ma słoniasty!

Wokół gapiów całe mrowie...
Leon drapie się po głowie...
– Co mam począć?!

Ktoś mu radzi,
żeby słonia gdzieś przesadził.
Do ogródka... lub do parku...
Można go też dać w podarku
panu, który gra w jazz-bandzie.
Może w bandzie słoń grać będzie?

Ale słoń ma inne plany:
– Chciałbym – trąbi – dla odmiany
choć przez chwilę być motylem.

Więc odfrunął.
No i tyle.

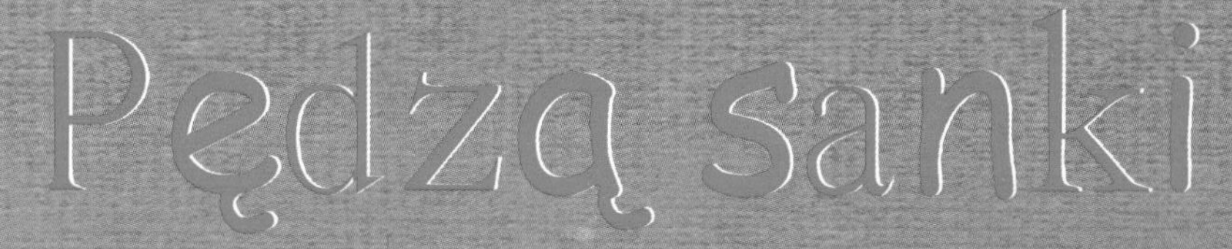

Pędzą sanki

Hopla! Hop! Spod samej chmurki!
Hopla! Z górki na pazurki!

Pędzą sanki z bałwankami,
śnieg się iskrzy gwiazdeczkami,
jest świeżutki i bielusi,
miękki niczym puch w podusi
lub chmurkowe konfiturki.

Hopla! Z górki na pazurki!

Pędzą sanki z bałwankami,
wiatr się bawi szalikami,
powiewają frrr! frędzelki,
podskakują hops! rondelki,
aż bałwankom marzną uszy.
A śnieg prószy, prószy, prószy.

Pędzą sanki z bałwankami
i z bałwanków walizami.
Mróz za nimi woła: Hopla!
Hej, bałwanku, chwyć się sopla!
Kufry skaczą, lecz bałwanki
jeszcze rozpędzają sanki.

Nagle wyszli im naprzeciw
mama z tatą, pies i dzieci –
wszystkich bardzo ciekawiło,
co w tych kufrach się ukryło?

Zatrzymały się więc sanki,
zeskoczyły w śnieg bałwanki:

– Jak to? Jak to? To nie wiecie?
Przywieźliśmy zimę przecież!

Na nartach

Patrzcie, krowy mkną na nartach!
Jedna, druga, trzecia, czwarta...
Na kopytka wdziały buty
i szusują w dół na skróty.

Piąta zjeżdża na snowboardzie!
Wielkie gogle ma na mordzie,
a skarpetkę na ogonie...
Może jeszcze ją dogonię?

Szybciej... Prędzej. Żwawiej! Gazu!!!
Nie przystaję ani razu,
wreszcie... uff!... doganiam krowę.

Już zagaić chcę rozmowę,
już się krowie kłaniam w pas,

aż tu nagle... Trzask, prask, wrzask!

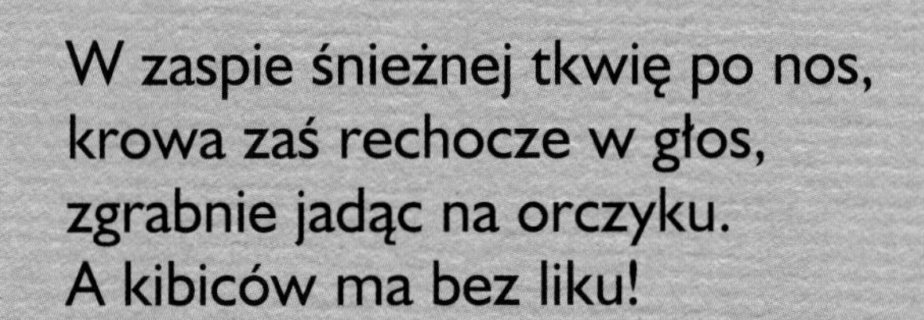

W zaspie śnieżnej tkwię po nos,
krowa zaś rechocze w głos,
zgrabnie jadąc na orczyku.
A kibiców ma bez liku!

Wielobarwny tłum się tłoczy;
wszyscy wytrzeszczają oczy,
podejrzanie są weseli...
Czyżby krowy nie widzieli!?

Cichcem zmykam stąd w obawie,
że to chyba ja ich bawię...

Lodowisko

Wpadły pchły na lodowisko
i od razu wszczęły lament:

– Czemu tutaj jest tak ślisko?
I co na to pchli parlament!?

Jednak, choć ich nikt nie zmuszał,
poślizgały się przez chwilę...
Gdy poczuły wiatr na uszach,
zaszemrały: – O... To miłe!

Lądowały łup! na brzuchu
(zobaczyły wszystkie gwiazdy),

ziuuu! ślizgały się na uchu...

Wciąż nie miały dosyć jazdy!

Teraz pchełki co dzień z rana
pędzą na to lodowisko
(choć zaspane i w piżamach):

– Dobrze, że tu jest tak ślisko!

Berek

Galopuje po podwórkach,
z wiatrem ściga się jak chmurka,

krople deszczu truchtem gania,
dzieci chwyta za ubrania,

potem gna co tchu po dachu,
ale zaraz zbiega z gmachu,

żeby wróble gonić w różach
i z psem śmigać po kałużach.

Fiku-miku! Jest w kominie,
lecz nim pół chwileczki minie,

w cwał się puszcza za wiewiórką
albo fruwa z moją córką.

Raz po płocie, raz na drzewie!...
Po co?! Na co?!!! Sama nie wiem.

Piąte koło

Pewien wóz
koła wiózł.
Kół na wozie było tyle,
że sam wóz nie wiedział ile.

Wóz się męczył z tym ciężarem:
– Chyba wiozę was za karę!

Wlokło się za kołem koło,
tur, stuk, tur, stuk... I tak w koło...
Pierwsze, drugie, trzecie, czwarte,
każde brudne, krzywe, zdarte...
Tur, stuk, tur, stuk... I tak w koło,
tłukło się za kołem koło...

Konik prychał...
furman wzdychał...
– Iiiijaaa, iii! – jęczała szprycha.
Tur, stuk, tur, stuk... I tak w koło,
wlokło się za kołem koło...

Wóz się toczył w dół niechętnie,
pomrukując sobie smętnie:
– Biedne szprychy... Spójrzcie... Och!
Wnet rozpadną się na proch!
Pękną przed następną górą... –
prorokował wóz ponuro.

A na wozie tak wesoło!
Prym tam wiodło piąte koło,
które, nie wiadomo czemu,
dokuczało wciąż ósmemu,
ósme mu nie było dłużne,
wymyślało figle różne,
łaskotało je po szprychach...
Piąte wnet zaczęło kichać!

– Psik! – kichnęło z gromkim hukiem,
po czym pofrunęło łukiem
nad furmanem i nad koniem,
ominęło dwie jabłonie
i upadło pośród piasków,
mnóstwo przy tym robiąc wrzasku!
Przeturlało się przez pole
i dotarło pod topole,
gdzie skończyło czcze swawole.

Koń się zaśmiał: hi-hi, hi-hi...,
z ulgą odetchnęły szprychy –
podróż szybko mija im,
więc nie jęczą: – Iiiijaaa, iii!,
tylko cieszą się, że hej:

– Koło z wozu, szprychom lżej!

Dmuchawiec

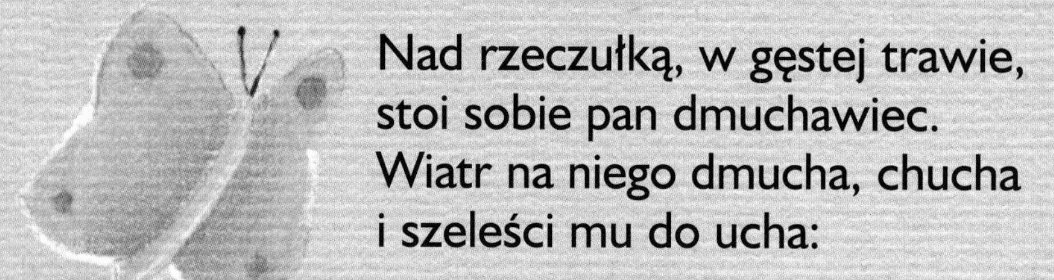

Nad rzeczułką, w gęstej trawie,
stoi sobie pan dmuchawiec.
Wiatr na niego dmucha, chucha
i szeleści mu do ucha:

– Może pan poleci ze mną
w podróż długą, acz przyjemną?

– Nie, dziękuję, drogi wietrze.
Z panem trzeba latać w swetrze,
ciepłym szalu i skarpetach,
a w dodatku w trzech beretach!

Bo inaczej można złapać
chrypkę albo nawet katar.
A ja się kataru boję,
więc dziękuję, lecz postoję.

Wiatr namawiał go i prosił:

– Tutaj trawę będą kosić!
Niechże pan się wreszcie ruszy!

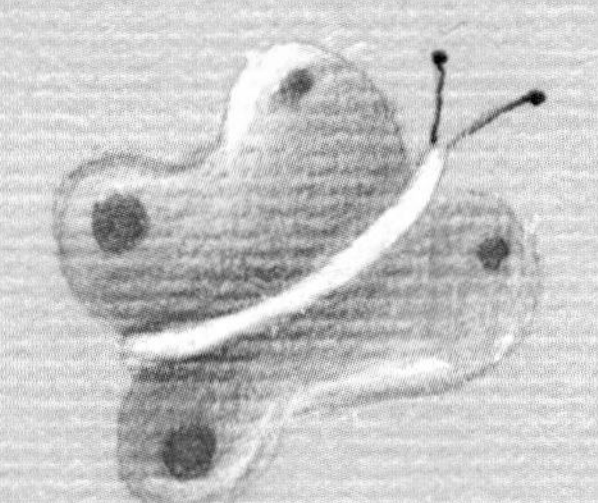

Lecz dmuchawiec zatkał uszy:

– Nie odlecę stąd i już!

Stał tak więc, aż przyszedł mróz.

Biedak trochę pożółkł zimą
(ale wciąż nadrabiał miną),
a gdy wiosną w pewnej chwili
spod warstw śniegu się wychylił,
nie był to – przedziwna rzecz! –
pan dmuchawiec, tylko mlecz.

Świnka

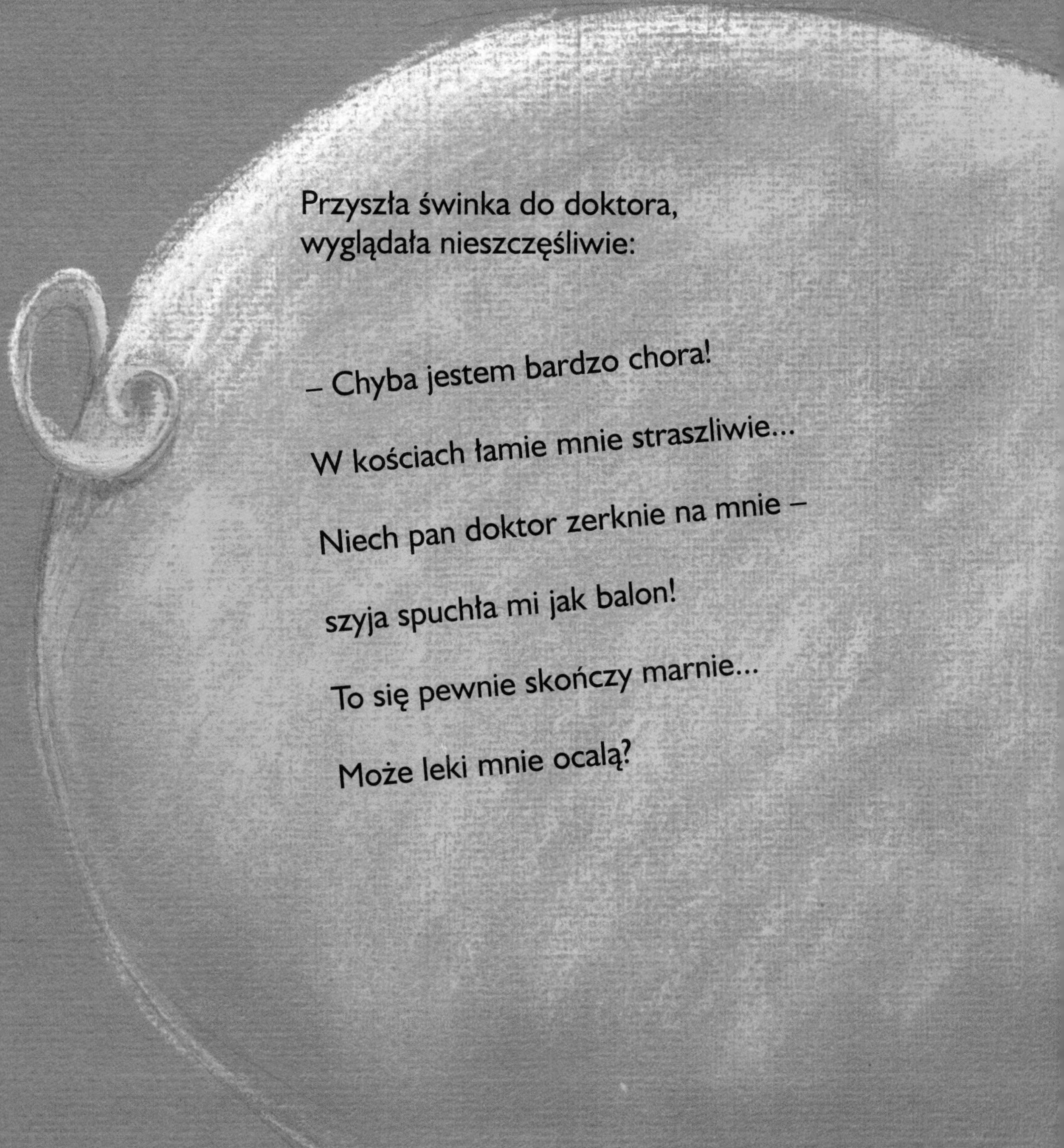

Przyszła świnka do doktora,
wyglądała nieszczęśliwie:

– Chyba jestem bardzo chora!
W kościach łamie mnie straszliwie...
Niech pan doktor zerknie na mnie –
szyja spuchła mi jak balon!
To się pewnie skończy marnie...
Może leki mnie ocalą?

Doktor przyjrzał się pacjentce...

Badał świnkę przez godzinkę,
po czym kres położył męce:

– Pani ma po prostu świnkę!

Pan Wynalazca

Na środku rynku, pod kramem krawca,
przystanął sobie Pan Wynalazca.
Stał, kręcąc wąsem, bowiem do głowy
akurat wpadał mu pomysł nowy.

Klap! I gotowe. Pomysł wpadł z trzaskiem
(aż krawiec zląkł się i uciekł z wrzaskiem).
A Wynalazca krzyknął: – Eureka!
po czym za krawcem ruszył: – Zaczekaj!

– Dziurawe jadło to wielka strata –
trzeba więc dziury w serze załatać.
Jeśli zajmiemy się tym felerem,
migiem zrobimy wielką karierę!

Już Wynalazca ręce zacierał...
Lecz krawiec nie chciał cerować sera.
– Przykro mi – mruknął – ja... nie mam czasu...
I co sił w nogach uciekł do lasu.

– Trudno. Nie szkodzi – rzekł Wynalazca. –
Poradzę sobie choćby bez krawca.
Zaraz wymyślę coś... gwarantuję!
Przecież pomysłów mi nie brakuje.

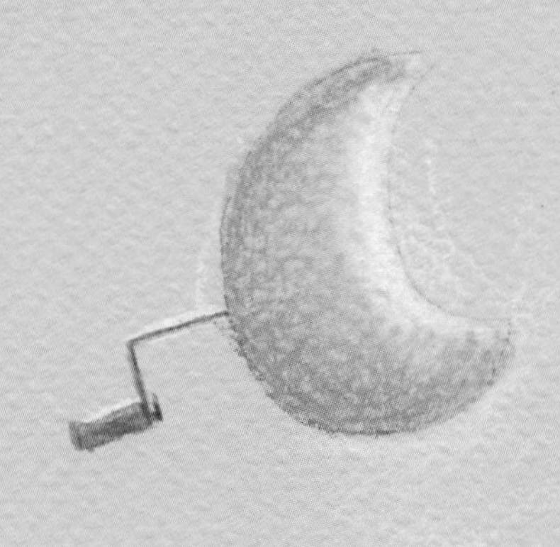

I rzeczywiście: po krótkiej chwili
zbudował radio z suchych badyli.
Choć urządzenie nie grało wcale,
to było tanie wręcz niebywale!

Później zmajstrował z garści paprochów
wielce oszczędny bryczko-samochód.
Cóż, że nie jeździł?... Nic się nie stało!
Ważne, że palił niezwykle mało.

Wreszcie wynalazł przedziwny zegar,
który sam kukał, tykał i biegał.
A nawet miauczał! Tylko nie chodził...
I nie potrafił wskazywać godzin.

Księżyc na korbkę,
mówiące kredki,
suchy wodospad,
pyszne skarpetki...
Takich przedmiotów powstało mnóstwo!
Nie chciały działać? Drobnostka! Głupstwo!

Pan Wynalazca aż pękał z dumy
i niecierpliwie czekał na tłumy,
które się zbiegną (pewien był tego!),
by wynalazki kupić od niego.

Chyba do dzisiaj tak czeka, biedak,
swe cuda chwali, próbując sprzedać,
lecz – choć to dziwne może się wydać –
kupców wciąż jakoś nigdzie nie widać.

Korniszonek

Na ulicy Ogórkowej,
tam, gdzie bloki stoją nowe,
mieszkał sobie korniszonek.

Pantalony miał zielone,
uszy takie, jak u śledzia,
talię niczym ciocia Fredzia,
a fryzurę z kalafiorków,
z pęczków kopru i szczypiorku.

Korniszonek z tego słynął,
że poruszał się drezyną –
ten wehikuł (choć dziwaczny,
staroświecki i pokraczny)
był niezwykły w jednym względzie:
korniszonka zawiózł wszędzie!

Cyrk na Krymie?
Targ w Baniosze?
Madryt?
Wdzydze?
Karkonosze?

Już się robi, bardzo proszę!

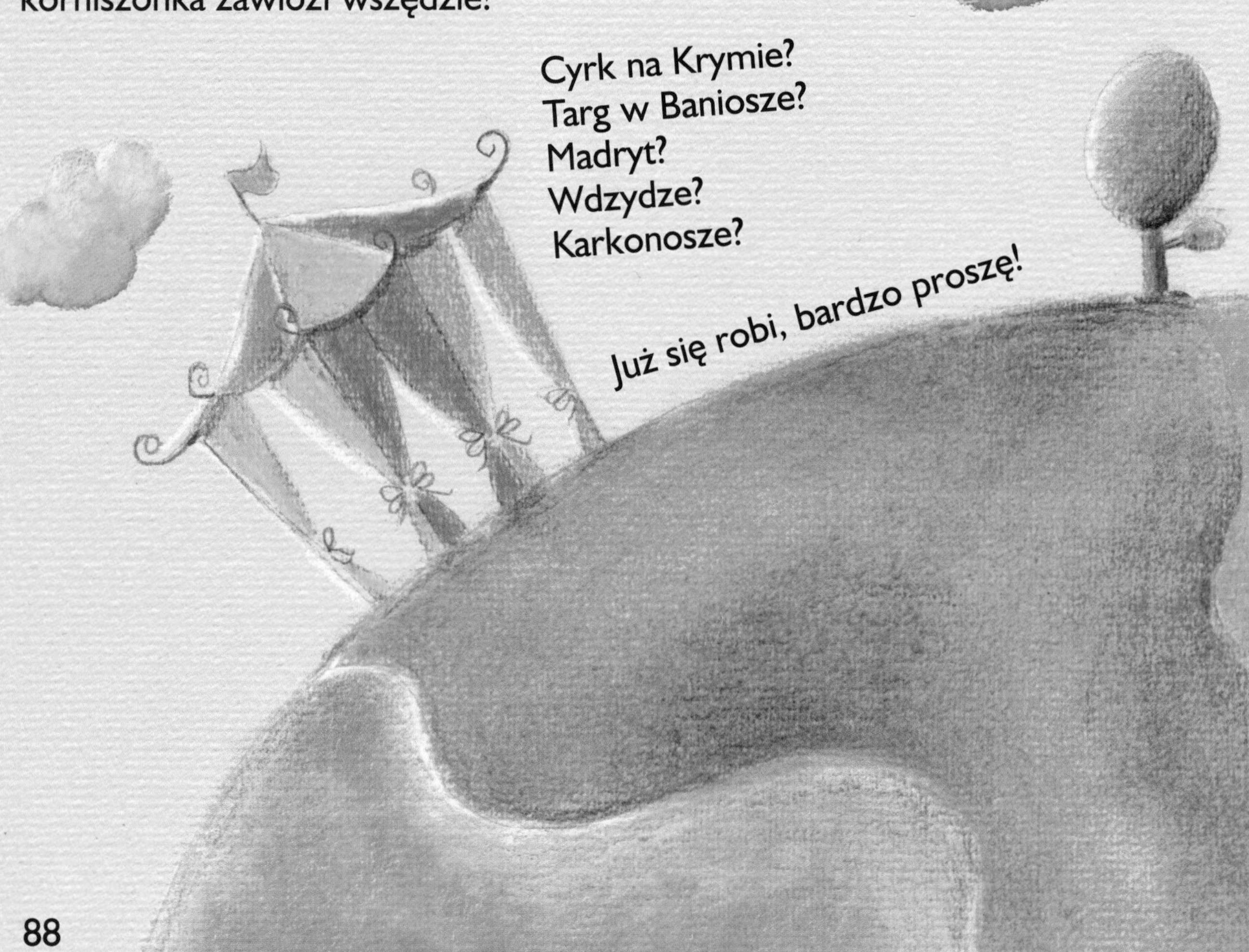

Raz widziałam ich z oddali,
kiedy właśnie sobie gnali
wprost z ulicy Ogórkowej
do Gwinei Równikowej.
Bo gdy ma się taki powóz,
zwiedzić można cały globus!

Myślisz, że to bajka tylko?
Że zmyśliłam to przed chwilką?
Skądże znowu! Ja nie kłamię!
Prawdę rzecze każde zdanie!

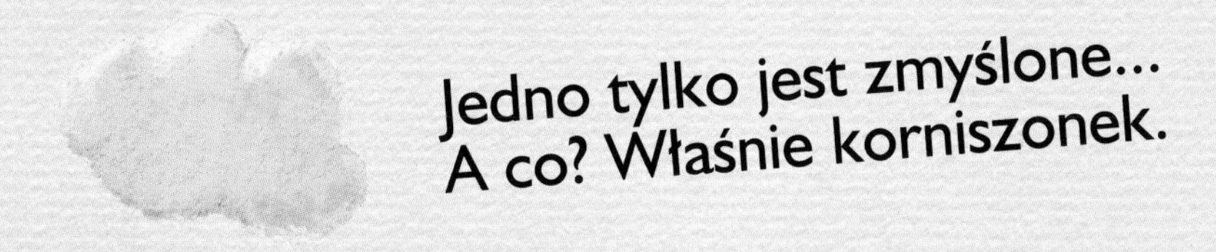

Jedno tylko jest zmyślone...
A co? Właśnie korniszonek.

Plecak

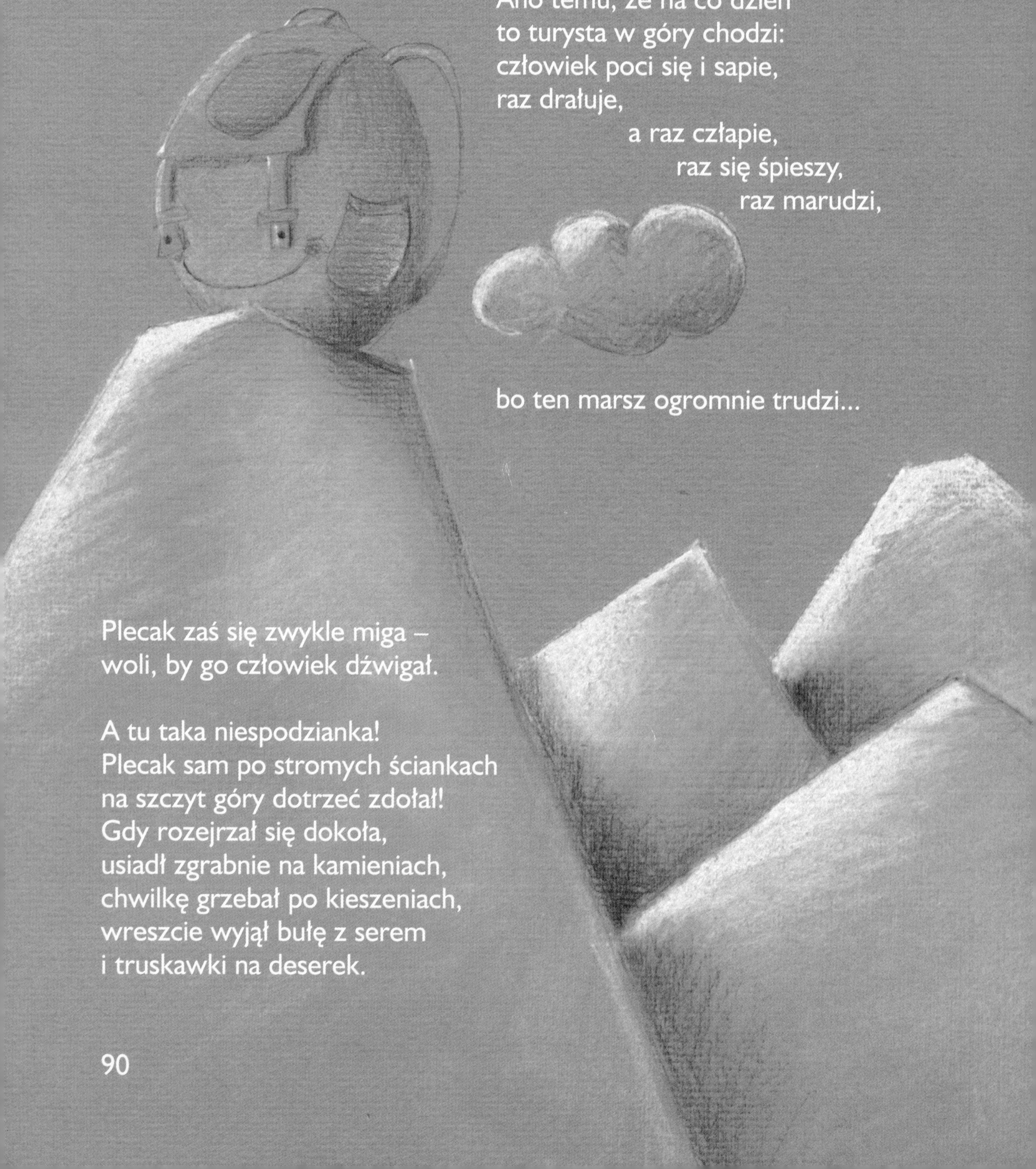

Nie do wiary! To ci heca!
Po Giewoncie drepcze plecak!
I uśmiecha się, szczęśliwy.
Czemu mnie ten widok dziwi?!
Ano temu, że na co dzień
to turysta w góry chodzi:
człowiek poci się i sapie,
raz drałuje,
a raz człapie,
raz się śpieszy,
raz marudzi,

bo ten marsz ogromnie trudzi...

Plecak zaś się zwykle miga –
woli, by go człowiek dźwigał.

A tu taka niespodzianka!
Plecak sam po stromych ściankach
na szczyt góry dotrzeć zdołał!
Gdy rozejrzał się dokoła,
usiadł zgrabnie na kamieniach,
chwilkę grzebał po kieszeniach,
wreszcie wyjął bułę z serem
i truskawki na deserek.

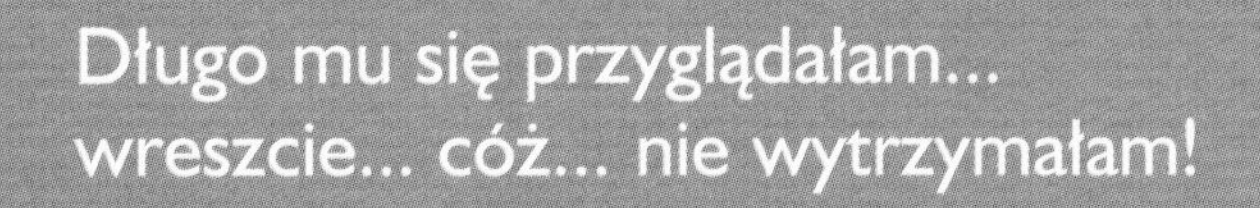

Długo mu się przyglądałam...
wreszcie... cóż... nie wytrzymałam!

– Skąd ty tutaj? Jakim cudem?! –

zapytałam bez ogródek.

– Gdzie się podział twój turysta?

A plecaczek-alpinista
już wyciągał do mnie sprzączkę,
z kurtuazją cmokał w rączkę...

– Niechże pani sobie spocznie! –

rzekł. Spoczęłam więc niezwłocznie.

Plecak zaś wyjaśnił krótko
(czyżby z ironiczną nutką?):

– Och... turyści... zbędny balast!
Więc się od nich trzymam z dala.

Komarzyce

Komarzyce, obżartuchy,

zamiast robić mężom kluchy,

zupkę, bigos i racuchy

lub choć placek upiec kruchy,

własne ciągle pasą brzuchy.

Choćbyś włożył trzy kożuchy

albo kupił lep na muchy,

nie dasz rady – takie zuchy!

Nie pytając o twe zdanie,

wnet cię pożrą. Na śniadanie.

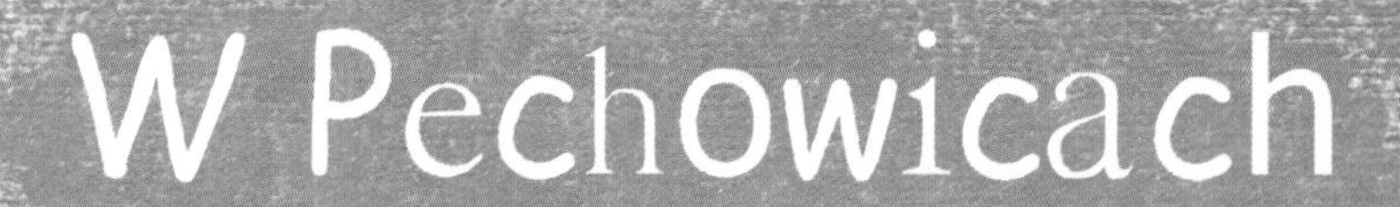

W Pechowicach

W Pechowicach, pod trzynastką,
tam, gdzie kruki mają gniazdko,
mieszka czarnych kotów stadko.
Kiedyś byłam ich sąsiadką...

Gdy im pies przebiegnie drogę,
to stołową biorą nogę,
by odpukać póki czas...
pierwszy... drugi... trzeci raz!
W środku najczarniejszej nocy
koty bębnią z całej mocy
w pokolorowany płot.

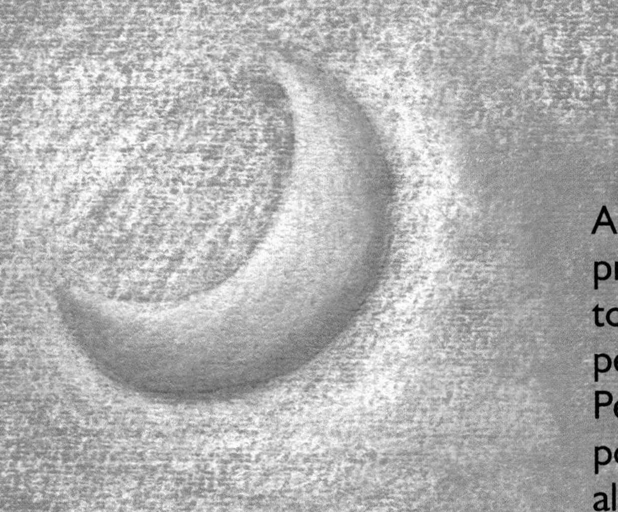

A gdy rankiem któryś kot
prawą łapą z łóżka wstanie,
to mu jeszcze przed śniadaniem
pech paskudny się przytrafi.
Pewnie Burek albo Fafik
porwie kotu wełny kłębek
albo sierści uszczknie strzępek!

Kot-pechowiec więc nie zwleka
– miast na czarny los narzekać,
miauczy przez swe lewe ramię.
Teraz nic mu się nie stanie!

Duch

Za komodą mieszka duch.
Czasem straszy nas: buch, buch!,
po czym znika niczym duch.

Innym razem, gdy się nudzi,
w środku nocy budzi ludzi:

Łubu-dubu!

Gwałtu!

Rety!

Z hukiem walą się portrety,

stoły,

stołki,

taborety!...

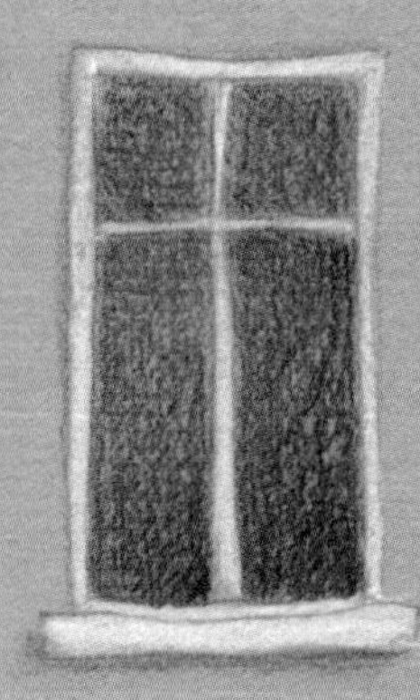

Co się dzieje? Skąd ten hałas?!
Ciocia stoi oniemiała,
wujek się ze strachu trzęsie:

– To się zdarza coraz częściej...

Dziadek Staś udaje zucha
(choć się lęka w głębi ducha):

– Trzeba stąd przegonić ducha!

Każdy szuka, węszy, niucha,

ale wokół cisza głucha...

Nie ma tu żywego ducha!

Tylko Burek zęby szczerzy...
Czyżby piesek w duchy wierzył?

Spis treści

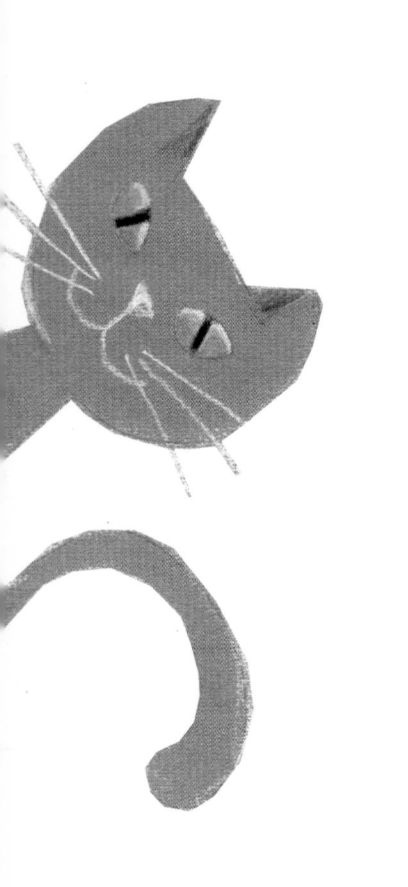

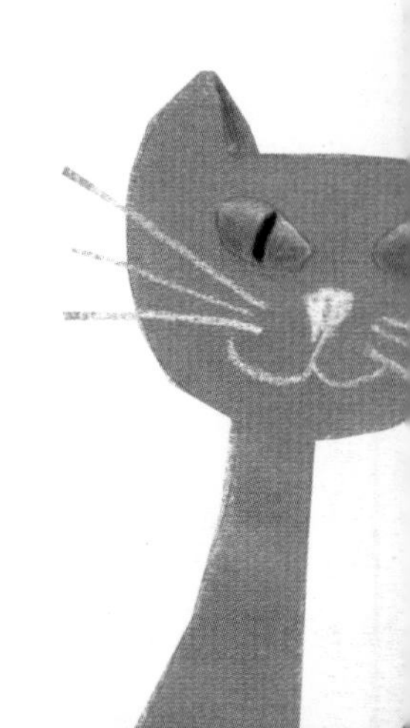

Naprawdę dobre książki!
Dlaczego to dobre książki?
Bo są mądre, zabawne, ciepłe,
pomysłowe i pięknie ilustrowane.
Książki Wydawnictwa BIS
to świetna lektura dla dzieci!
Wydawnictwo bis
ul. Lędzka 44a, 01-446 Warszawa,
tel. (0-22) 877-27-05, 877-40-33, fax (0-22) 837-10-84
e-mail: bisbis@wydawnictwobis.com.pl
Na życzenie wysyłamy bezpłatny katalog
Zapraszamy do naszej
księgarni internetowej:
www.wydawnictwobis.com.pl

ziuu!!